Petites actions, grands résultats

*De petits événements
qui influencent notre destinée*

Catalogage avant publication de la Bibliothèque du Canada

Fritz, Roger

Petites actions, grands résultats: de petits événements qui influencent notre destinée
Traduction de: Little things, big results.

ISBN 2-89225-524-4

1. Communication interpersonnelle. 2. Relations humaines. 3. Famille. 4. Gestion – Aspect psychologique. 5. Succès dans les affaires. 6. Adaptation (Psychologie). I. Titre.

BF637.C45F7414 2003   158.2   C2003-940513-3

Cet ouvrage a été publié en langue anglaise sous le titre original:
LITTLE THINGS – BIG RESULTS: HOW SMALL EVENTS DETERMINE OUR FATE
Published by Inside Advantage Publications
1240 Iroquois Drive, Suite 406
Naperville, Illinois 60563
Phone: (630) 420-7673
Fax: (630) 420-7835
Rfritz3800@aol.com
http://www.rogerfritz.com

©, Les éditions Un monde différent ltée, 2003
Pour l'édition en langue française

Dépôts légaux: 1er trimestre 2003
Bibliothèque nationale du Québec
Bibliothèque nationale du Canada
Bibliothèque nationale de France

Conception graphique de la couverture:
OLIVIER LASSER

Version française:
DENISE PANACCIO

Photocomposition et mise en pages:
COMPOSITION MONIKA, QUÉBEC

ISBN 2-89225-524-4
(Édition originale: ISBN 1-893987-06-X, Inside Advantage Publications, Illinois)

Nous reconnaissons l'aide financière du gouvernement du Canada par l'entremise du Programme d'Aide au Développement de l'Industrie de l'Édition pour nos activités d'édition (PADIÉ).

Imprimé au Canada

Roger Fritz

Petites actions, grands résultats

De petits événements qui influencent notre destinée

Les éditions Un monde différent ltée
3925, Grande-Allée
Saint-Hubert (Québec)
Canada J4T 2V8
Tél.: (450) 656-2660
Site Internet: *http://www.umd.ca*
Courriel: *info@umd.ca*

Roger Fritz est considéré, aux États-Unis, comme l'un des plus grands experts en matière de gestion basée sur les performances et dans le domaine de l'adaptation individuelle au changement. Tant les entreprises Fortune 500 que les entreprises familiales ont bénéficié de ses conseils. Roger Fritz compte plus de 300 clients et donne, tous les mois, des conférences, des ateliers et des colloques sur des thèmes privilégiés. Ses chroniques dans des revues mensuelles et ses articles hebdomadaires dans des journaux d'affaires atteignent des millions de lecteurs. Parmi les 35 livres, traduits en 17 langues, qu'il a publiés, on compte plusieurs best-sellers, succès du mois et livres primés. Il est président fondateur (1972) de Organization Development Consultants, à Naperville, Illinois.

En guise de remerciement

Le travail de Lisa Konkol m'a été d'un précieux secours, depuis la naissance du projet jusqu'à son achèvement.

Note de l'éditeur: Toutes les citations que vous retrouvez dans cet ouvrage dont l'auteur n'est pas mentionné sont du ressort de Roger Fritz.

Table des matières

Chapitre 2

Chapitre 3

Chapitre 4

Chapitre 5

«La vie est une suite de petits événements dont chacun peut produire de grands résultats.»

— Roger Fritz

Introduction

*L*a vie n'est pas une série exaltante de réactions à des événements majeurs ou à des situations traumatisantes. C'est une succession ininterrompue de petits détails qui en viennent à déterminer nos connaissances, notre jugement, notre bonheur et notre destin.

Sans m'en rendre compte, depuis plusieurs années, je tente de vérifier une théorie. Je cherche à comprendre pourquoi les événements surviennent sans raison apparente. La théorie s'énonce comme suit: «Nous sommes ce que nous créons». Autrement dit, notre sort dépend de la manière dont nous transformons les petites choses en occasions de nous améliorer. La négligence des détails nous désavantage de manière subtile, mais considérable. Tant de bienfaits nous échappent à première vue:

- Lorsque survient la maladie, sans que nous ne prenions conscience de la fragilité de la vie.

- Lorsque nous sommes impuissants à aider un être aimé à se tirer d'un mauvais pas, pour admettre enfin que nous cherchons à nous éloigner.

- Lorsque nous désirons éperdument une chose, pour constater que nous avons avantage à nous en passer.

- Lorsque nous doutons tellement de nous-mêmes que nous attribuons nos erreurs aux autres et dénigrons les gens qui nous entourent. En conséquence, les choses restent au même point.

- Lorsque nous nous mettons en colère, pour ensuite nous rendre compte à quel point ce genre d'incident limite nos possibilités d'exceller.

- Lorsque, malgré nos efforts, nous échouons et, en dépit de notre humiliation, nous en tirons une leçon de sagesse.

Jour après jour, nos actions ou nos paroles, en apparence anodines, influencent notre entourage. Personne ne vit de manière indépendante du reste du monde. Ainsi, nos actes ont un effet sur les autres. Notre façon de nous vêtir, nos paroles et nos gestes influencent l'opinion des autres à notre égard. Les petites choses, à nos yeux sans importance, produisent souvent un effet marquant. Par nos actions ou nos abstentions, nous exerçons une influence continue sur les membres de notre famille, notre parenté, nos voisins, nos collègues de travail et sur les membres de notre communauté.

Cet ouvrage explore la théorie des «petites actions», définit et analyse les éléments qui la composent, et présente de multiples récits tirés de la vie de personnes connues et inconnues. Il se veut utile dès la première lecture, mais se veut encore davantage une ressource, un ouvrage à relire, dans les situations où les problèmes nous portent au découragement. Ayant la ferme conviction que les «petites actions» comptent sur une base quotidienne, dans toutes les circonstances de la vie, j'ai privilégié cinq contextes: à la maison – en amitié – en société – au travail – et dans le cadre de votre carrière. Chaque contexte fait l'objet d'un chapitre. Vous verrez souvent les lettres PAGR vous rappelant que les «petites actions» peuvent produire de «grands résultats».

**«La plupart d'entre nous accomplissons rarement de grandes choses,
mais nous faisons tous de petites choses avec grandeur.»**

CHAPITRE 1

Les petites choses vous caractérisent

Mike Semola a perdu la vie cette semaine. Sa mort n'a pas fait la manchette – ce n'était pas l'homme le plus riche du monde, il n'a pas laissé de tableaux de valeur ou une entreprise valant des millions de dollars. Alors, qui était-il?

Selon sa notice nécrologique, Mike, 16 ans, a perdu la maîtrise de son véhicule. Fils unique, il laisse dans le deuil sa mère, son père, ses sœurs, ses cousins, ses tantes, ses oncles, ses grands-parents et ses amis. Toutefois, le texte ne rend pas compte de la réalité. Mike était presque devenu un Eagle Scout: il avait atteint – à quelques badges près – le plus haut rang accordé à un scout, aux États-Unis. Il était batteur bénévole au sein de l'orchestre de sa paroisse. C'était un étudiant très doué. Le matin de son décès, il avait offert des fleurs à sa mère. Le texte ne mentionne pas la grande influence et l'apport remarquable de Mike autour de lui. C'est un jeune homme qui a laissé une empreinte durable dans de nombreux cœurs.

Pour la plupart, on ne nous élèvera pas de monument. Personne n'écrira notre biographie et nous ne gagnerons jamais un Oscar. Nous passerons notre vie à apprécier les choses simples – notre entourage, nos amis, notre famille.

Même si nos agissements paraissent banals, sans intérêt, nous pouvons marquer profondément les autres. Comme cet entraîneur de soccer qui apprend à ses joueurs à serrer la main de leurs adversaires, à la fin d'une partie, ou ce professeur de sciences sociales qui insiste sur le respect de la diversité des cultures. C'est aussi le cas du gestionnaire qui, en plus de contribuer à l'accroissement des bénéfices de son entreprise, soutient un employé en deuil.

Au cours de notre vie, nous pouvons laisser une empreinte durable et positive dans la vie des autres. N'est-ce pas ce qui donne un sens à la vie?

« *Dis-moi qui tu fréquentes et je te dirai qui tu es.* »

— Miguel de Cervantès, *écrivain*

Un praticien de l'âme

J'ai ma propre entreprise de consultation en gestion depuis 30 ans. Comme je m'en occupe seul, j'en suis, pour ainsi dire, l'âme dirigeante, ou le «seul praticien».

Mais suis-je un praticien de l'ÂME? Quels sont les principes spirituels à la base de mes actions, de ma façon de vivre, de l'influence que j'exerce dans mon entourage? Quels sont les principes moraux qui régissent ma vie? Ces principes sont-ils perceptibles d'emblée ou faut-il creuser pour les trouver?

Voici des manières de savoir si vous êtes un praticien de l'ÂME:

Projetez-vous une image factice ou vraie? Au premier abord, il est à souhaiter que l'on vous voie tel que vous êtes, une personne honnête, sincère, et non un acteur.

Votre travail laisse-t-il une impression de flou ou de substance? Si vous cherchez à duper les gens, vous réussirez peut-être pendant un certain temps, mais un jour, vous devrez rendre des comptes. Tôt ou tard, votre travail vous trahira. À l'heure des excuses, il sera déjà trop tard. Visez dès maintenant à être fier de votre travail.

Quand vous prenez la parole, cherchez-vous à attirer l'attention sur vous ou reconnaissez-vous à chacun son mérite? Si vous devez toujours être le point de mire, on se demandera pourquoi vous le faites. Est-ce par vanité? par insécurité? par narcissisme? par ambition? Il y a des gens qui se réjouissent des difficultés et des insuccès des autres. En revanche, si vous reconnaissez à chacun son dû, vous inciterez les autres à travailler avec vous et non contre vous.

«Mon meilleur ami est celui qui éveille en moi ce que j'ai de meilleur.»

— Henry Ford

Avez-vous confiance en vos aptitudes ou êtes-vous irrité par votre incompétence? Si vous vous croyez incompétent, vous l'êtes. C'est l'évidence même. Il n'existe qu'un seul type de confiance et elle est en soi. Si la confiance ne fait pas partie de vous, vous ne l'avez jamais vraiment eue.

Appréciez-vous votre sort ou enviez-vous les gens plus privilégiés? La reconnaissance est un état d'esprit. À force de se concentrer sur les «prestations», on accentue sa faiblesse et sa dépendance. Les personnes reconnaissantes expriment leur appréciation autrement que par des mots. Elles cherchent des moyens de se montrer compatissantes, et elles le sont!

Qui préférez-vous côtoyer? Ceux qui misent sur la flatterie pour en tirer quelque avantage ou ceux qui vous respectent vraiment, sans flatterie démesurée? En vous entourant de gens que vous admirez et que vous êtes fiers de fréquenter, vous élargirez vos connaissances et vous évoluerez. En contrepartie, au contact de gens médiocres, vous aurez tendance à vous abaisser.

> **«La grandeur ne découle pas de la force, mais du bon usage de la force.»**
>
> — Henry Ward Beecher

Êtes-vous porté à exagérer ou à relativiser l'importance de vos paroles et de vos actions? La modestie et l'humilité sont plus que des vertus. Ce sont les qualités primordiales des gens dignes de notre respect.

Que dit-on de vous en votre absence? Les éloges sont-ils mérités? Les critiques sont-elles pertinentes et justifiées? On n'échappe pas à sa réputation. On ne peut simuler la bienveillance indéfiniment.

> **«Ce n'est pas ce qui vous arrive qui forme votre personnalité, mais ce que vous en faites.»**

De quels organismes faites-vous partie? Y êtes-vous actif ou inactif? Quels besoins particuliers comblez-vous par votre engagement au sein de ces organismes? Votre temps et votre énergie iront à ce qui vous paraît prioritaire. Si ces activités sont futiles ou égocentriques, les gens sérieux ne vous prendront pas au sérieux.

À quoi pensez-vous, quand vous êtes seul? Dans quelle mesure pensez-vous à vous? Dans quelle mesure songez-vous aux besoins des autres? Chez les personnes égoïstes, cette habitude d'être totalement centrées sur elles-mêmes les domine et transparaît dans tout ce qu'elles disent et font. Pour le travail en équipe, ces gens ne sont d'aucune utilité.

«Ne confondez pas "être stimulant" et "être brusque".»

— Barbara Walters

Avez-vous du mal à reconnaître vos erreurs? Vous obstinez-vous trop longtemps lorsque vous avez tort? L'aptitude d'une personne à prendre du recul, à reconsidérer son point de vue et à changer de direction est essentielle à sa crédibilité. Le fait de s'entêter, malgré de piètres résultats, attire habituellement l'étiquette de PERDANT.

En répondant avec franchise à ces questions, vous vous percevrez de manière plus objective et connaîtrez mieux le praticien que vous êtes dans l'ÂME.

Qui êtes-vous?

Quel genre de golfeur êtes-vous? Il ne s'agit pas ici de votre score, mais de savoir si vous déplacez la balle à votre avantage, si vous «oubliez» de compter une pénalité, ou si vous prenez un *mulligan*. Nous nous définissons par les petites choses – par notre attitude avec notre famille, notre parenté, nos amis et nos collègues de travail. Les comportements dans l'épreuve ou les honneurs sont particulièrement révélateurs.

Petits gains, grandes économies

Les gens se révèlent beaucoup dans les petites choses. Certaines personnes riches sont très économes. Elles savent que les petites sommes d'argent s'additionnent et finissent par compter.

Dans les années 1870, le magnat du pétrole, John D. Rockefeller, a calculé qu'en réduisant de 40 à 39 le nombre de gouttes servant à souder les bidons de kérosène, il économiserait 2 500 $ dès la première année, dans une de ses usines. Il était également économe sur le terrain de golf. Il utilisait une vieille balle de golf, s'il risquait de la perdre dans un lac.

Lors d'une exposition canine à Londres, J. Paul Getty, un autre magnat du pétrole, a fait attendre ses amis 10 minutes, jusqu'à 17 heures, pour les inviter à mi-tarif. Il a économisé deux shillings et six pence.

Warren Buffett, un investisseur multimilliardaire, se trouvait dans un aéroport avec Katherine

Graham, du *Washington Post*. Pressée, elle a voulu lui emprunter une pièce de 10 sous pour téléphoner. N'ayant qu'une pièce de 25 sous, Warren Buffett s'est procuré de la monnaie, pour éviter de gaspiller 15 sous. En 2000, il occupait le quatrième rang parmi les hommes les plus riches des États-Unis. Bref, de petits gains résultent en de grandes économies!

> **«Il n'y a rien comme la vente d'une voiture d'occasion pour mettre votre éthique à l'épreuve.»**
>
> — Linda Holland

Double emploi

Elly Bertrand, mère célibataire de trois garçons, s'était inscrite comme donneuse de moelle osseuse. Elle espérait sauver la vie d'un bébé dont la photo avait paru dans le journal. Des années plus tard, elle a reçu un appel de la Croix-Rouge, qui la considérait comme donneuse potentiellement compatible, dans le traitement d'une femme de 24 ans, atteinte de leucémie. Son offre de faire don de moelle osseuse tenait-elle toujours?

«Oui», elle y consentait, si c'était possible. Comme elle était compatible, elle a fait don de sa moelle. Toutefois, après l'intervention, la loi lui interdisait de connaître l'identité de la receveuse avant un an.

Un an plus tard, Rhonda Dietze, la receveuse, l'a appelée. Rhonda ne vivait qu'à 120 kilomètres de chez elle; les deux femmes avaient beaucoup d'affinités et se sont liées d'amitié. Elles se sont finalement rencontrées à la fête prénuptiale de Rhonda et Elly a pu constater son apport énorme dans la vie de Rhonda.

«La plupart des gens vivent et meurent sans avoir fait jouer leur mélodie. Ils n'ont jamais osé le faire.»

Cinq ans plus tard, Elly a reçu une lettre inquiétante. Rhonda avait contracté une affection rénale, à cause des radiations reçues pour traiter sa leucémie. Elly pourrait, sans risque de rejet, faire don d'un rein, car l'organisme de Rhonda n'avait pas rejeté sa moelle osseuse. Elly et sa famille ont d'abord hésité, mais Elly a finalement pris la décision. L'année du cinquième anniversaire du prélèvement de moelle osseuse, elle a consenti à l'opération. Sa famille appuyait sa décision et l'opération a réussi. Rhonda a recouvré la santé. Comment s'épelle le mot *«sainte»*? Je l'épelle Elly Bertrand.

«Gardez le visage face au soleil et vous ne verrez pas les ombres.»

— Helen Keller

31

Recyclez les dons

Linda Cutrell a trouvé une façon originale de remercier ses amis et sa famille de leurs cartes de vœux, à Noël. Son ami, monsieur Anthony, lui a confié qu'il recyclait ses cartes de Noël en inscrivant à son calendrier le nom de ses correspondants auxquels il envoyait ensuite une carte leur expliquant qu'il prierait pour eux, à une date précise. Linda a tellement aimé l'idée qu'elle a décidé de prier pour ses amis, au cours de l'année. Une amie dit avoir eu une promotion le jour où Linda a prié pour elle et une autre amie a guéri d'un rhume. Désormais, ses amis prient les uns pour les autres et la généreuse idée de monsieur Anthony fait boule de neige. PAGR (Petites actions, grands résultats).

> **«Vous serez vite soulagé, si vous essayez de ralentir.»**
>
> — Lily Tomlin

Vous d'abord

L'entraîneur de basket-ball de l'université de l'Arizona, Lute Olson, a connu de nombreuses épreuves dans sa vie. Pourtant, il a continué de penser aux autres, même dans ses pires moments, comme lorsque Bobbi, sa femme depuis 47 ans, a appris qu'elle avait un cancer de l'ovaire. Ken Gœ, commentateur de basket-ball pour les équipes universitaires, au *Portland Oregonian*, a écrit un article sur le combat de Bobbi contre le cancer, et Lute Olson lui a envoyé une note personnelle de remerciement.

Par la suite, quand le fils de Ken Gœ, un adolescent, s'est gravement blessé à la tête, au cours d'un match de football, Lute lui a fait parvenir un mot de sympathie. Puis, il a envoyé au jeune garçon une série d'affiches et de photos autographiées. À l'époque de Noël, il a même fait parvenir à la famille de Ken Gœ une carte de vœux. Malheureusement, la carte est arrivée le lendemain de la mort de leur fils. Lute Olson est un homme remarquable. Même dans la douleur, il n'oubliait pas les autres. Voilà de la véritable grandeur d'âme.

«Ce qui nous habite dans l'épreuve se manifeste au dehors.»

— John Register, athlète handicapé

La mémoire longue

Le fils unique de Darlina Dunlap, Shannon, a été tué par un conducteur ivre, six mois après avoir terminé ses études secondaires. Shannon avait beaucoup d'amis et sa mère les avait toujours accueillis à la maison. Elle aimait leur servir à dîner et plusieurs l'appelaient *maman*. Cinq ans plus tard, Darlina acceptait encore difficilement la mort de son fils. Les amis de Shannon lui étaient demeurés liés, en l'invitant à leurs mariages et remises de diplômes, mais cela ravivait parfois sa douleur d'avoir perdu son fils.

Avec son mari, Darlina avait souvent parlé de bâtir une cabane en rondins. Elle se rappelait comment Shannon aimait en construire, avec son jeu de rondins *Lincoln Logs*. Le couple a décidé de réaliser son rêve et a entrepris la construction de la petite habitation. Un jour, des amis de Shannon, venus les aider, ont travaillé toute la journée. Le lendemain, ils ont recruté d'autres amis et Darlina s'est remise à cuisiner pour eux.

Au printemps, plus d'une douzaine d'amis de Shannon sont venus aider à construire le toit. Leurs femmes et petites amies avaient préparé un barbecue. Pendant que les hommes travaillaient, les femmes ont offert à Darlina leurs vœux de fête des Mères. Darlina ne s'était même pas rendu compte du jour de l'année. Elle a vu toutefois que Shannon continuait de vivre dans le cœur de ses amis.

«Tant qu'il y a de la vie, il y a possibilité de renouveau.»

Célébrez la vie

Vous pouvez influencer l'humeur de votre famille par de petites choses. Ellen Rose, de South Charleston, dans l'Ohio, était triste de la mort de sa mère et du beau-père de son mari. Elle n'arrivait pas à retrouver l'esprit des fêtes. Un jour, elle a eu l'idée de constituer un arbre de photos de famille, fait de cadres de plastique, de rubans et de dentelle. Elle y a placé des photos de tous les membres de la famille, vivants et disparus. La veille de Noël, elle a invité ses proches. Tous étaient ravis d'avoir l'occasion d'évoquer de précieux souvenirs. Au lieu de s'apitoyer sur son sort, Ellen a pris la situation en main en pensant aux autres.

« Le courage signifie la résistance à la peur, la maîtrise de la peur — non l'absence de peur. »

— Mark Twain

Montrez vos vraies couleurs

Dans les situations d'urgence, les leaders émergent et les gens révèlent leur vraie nature. On ne connaît pas toujours sa force ou son courage, avant de les mettre à l'épreuve. Le 11 septembre 2001, les héros n'ont pas manqué – les pompiers qui ont protégé les gens de la chute de débris, les policiers qui ont dirigé la foule loin des édifices en flammes, et les ouvriers qui ont offert bénévolement leur aide.

> **«L'essentiel n'est pas l'intelligence, mais ce qui la guide: la personnalité, le cœur, la générosité, les idées progressistes.»**
>
> — Fedor Dostoïevski

Michael Benfante et son collègue de travail, John Cerqueira, ont été mis à l'épreuve. Pendant l'incendie du *World Trade Center*, ils ont descendu 68 volées d'escaliers en portant, dans son fauteuil roulant, Tina Hansen, atteinte d'arthrite rhumatoïde juvénile depuis l'âge de trois ans. Rien ne les obligeait à la secourir, mais Michael a vu qu'elle avait besoin d'aide et lui a porté secours. Les deux hommes lui ont sauvé la vie et leur vraie nature s'est manifestée aux yeux du monde.

> **«Le caractère d'un homme forge son destin.»**
>
> — Héraclite

D'autres personnes ont apporté leur aide. Nicole Blackman a servi des sandwichs et de la nourriture à 1 200 secouristes, en travaillant 18 heures par jour. Dirigeant deux douzaines de bénévoles, elle a prêté main-forte aux équipes de secours. Elle a travaillé assez longtemps pour apprendre les noms des secouristes et, même, leurs préférences alimentaires. Nicole ne vantait pas son propre effort, mais la générosité des gens faisant don de nourriture et d'articles divers. Au lieu de regarder le désastre à la télévision, calée dans un fauteuil, elle a voulu être utile.

Kerry McGinnis et Michael Wettz ne travaillaient pas au *World Trade Center*, ce qui ne les a pas empêchés de prêter main-forte aux secouristes. Mettant à profit ses talents de gestionnaire de chenil à la Société de protection des animaux de Manhattan, Kerry, aidée de 30 bénévoles, a entrepris de sauver les animaux prisonniers des appartements. Michael, vétérinaire, a offert ses services et tous deux ont contribué au sauvetage de plus de 200 animaux de compagnie. Voilà ce que j'appelle passer à l'action!

«Mon monde à moi me défie de réussir, mais sans défilés ni fanfares.»

Après l'attentat au Pentagone, le lieutenant-colonel Patty Horoho, ancienne infirmière auprès des grands brûlés et grands blessés, a utilisé ses compétences pour tout de suite organiser un centre de tri. Ne disposant que d'une trousse de premiers soins, elle a passé quatre heures à soigner 75 blessés. Elle avait les connaissances et les talents qu'il fallait et les a mis à profit. Nous devrions toujours chercher la meilleure façon d'aider les autres, selon nos aptitudes et nos talents.

«Si vous ne proposez jamais vos services, vous n'aurez jamais besoin d'un alibi pour ce qui ne s'est pas produit.»

À bord du vol *United 93*, les hommes de courage ne manquaient pas – il y avait, entre autres, Jeremy Glick, Tom Burnett, Mark Bingham, Cee Cee Lyles et Todd Beamer. Ayant découvert que leur appareil allait servir de missile d'attaque contre la Maison-Blanche, ils sont passés à l'action. Selon sa femme, Lisa, Todd avait l'habitude de dire à ses jeunes fils, lors d'un départ quelconque: «Let's Roll», ce qui signifie: «Allons-y». En parlant à un superviseur de la compagnie téléphonique *GTE*, pendant le détournement, Todd a de nouveau employé l'expression. Mais, cette fois, «Let's Roll» signifiait: *attaquer les pirates de l'air*. L'appareil s'est écrasé mais, grâce à leur bravoure, ces héros ont sauvé la Maison-Blanche. Selon l'expression de Lisa Beamer, son mari, Todd, était un homme ordinaire qui s'est trouvé dans une situation extraordinaire. En temps de crise, nous avons vu des gens ordinaires accomplir des gestes hors du commun. PAGR.

« Les libertés de notre pays,
la liberté de notre constitution,
valent d'être défendues à tout prix,
et il est de notre devoir de les défendre
contre toute agression.
Nos valeureux ancêtres nous les ont
léguées, en juste héritage ; ils les ont
gagnées pour nous, par leur labeur et
malgré le danger, à prix d'or et de sang,
et nous les ont transmises
avec soin et diligence.
La génération actuelle, désormais prévenue,
sera à jamais marquée d'infamie, si ces
valeurs nous étaient arrachées par la
violence, sans combat, ou si elles nous
étaient dérobées par la ruse et la fourberie.

— Samuel Adams, publié en 1771

À vous de jouer

Le temps est votre atout le plus précieux. C'est votre emploi du temps qui déterminera la qualité de votre vie.

Prenez-vous le temps de

1) **penser ?** C'est la source de votre évolution.

2) **jouer ?** Vous resterez jeune.

3) **lire?** Votre esprit s'éveillera.

4) **prier?** Vous reconnaîtrez vos limites.

5) **venir en aide aux indigents?** Vous en retirerez davantage que vous ne donnez.

6) **manifester de l'amour?** C'est la clé des plus grands bonheurs de la vie.

7) **rêver tout éveillé?** Vous y trouverez le chemin de votre avenir.

8) **rire?** C'est le secret de l'équilibre.

9) **développer de nouvelles habiletés?** Vous demeurerez à l'avant-garde.

10) **planifier?** Vous saurez si vous avez le temps de vous consacrer aux neuf activités précédentes.

En bref...

Voulez-vous être ce que vous êtes ou ce que vous pouvez devenir?

Le genre de personne que vous êtes dépend de vous. Comment vous décrivez-vous – attentionné, ardent au travail, fiable? Quels aspects de votre personnalité changeriez-vous? Comment aimeriez-vous que les autres vous décrivent – honnête, patient, généreux? Vous pouvez devenir la personne que vous souhaitez être.

Ce que je crois:

- Vos croyances déterminent vos convictions.
- Vos convictions déterminent vos satisfactions.
- Vos pensées déterminent vos actions.
- Vos habitudes vous rendent prévisible.

- Votre personnalité détermine votre avenir.
- Votre travail définit votre héritage.

Demandez-vous:

- Suis-je d'accord avec ces affirmations?
- Si oui – quels changements s'imposent dans votre vie quotidienne?
- Sinon – écrivez votre interprétation des liens entre les croyances, les principes, les pensées, les habitudes, la personnalité et le travail.

CHAPITRE 2

Les petites choses structurent les fondations

*L*a famille est le fondement d'une société libre. Nous devrions en faire notre priorité absolue. Sans une totale responsabilisation face à la famille, toute la société se dégrade. Il nous faut prendre soin de nos enfants, chérir nos conjoints et soutenir nos parents vieillissants. Le bien-être des familles tient surtout à ces petits gestes qui disent à nos proches à quel point nous les aimons et combien ils sont importants à nos yeux. Il peut s'agir simplement de servir le café à son conjoint ou de glisser un mot d'encouragement dans la boîte-repas de son enfant.

«Dans l'art d'être parent, comme dans toute relation, l'essentiel tient à l'amour et au respect.»

Du temps en famille

Êtes-vous trop occupé pour prendre vos repas en famille? Ou alors, vos enfants sont-ils trop occupés pour manger avec vous? L'engagement envers sa famille suppose de prévoir du temps à son horaire à lui consacrer. Que l'on ait de jeunes enfants ou des parents âgés, il est essentiel de passer du temps en famille. C'est ce qui cimente une société libre.

Même les gestionnaires très occupés doivent donner priorité à leur famille. Vinod Khosla, investisseur en capital risque et cofondateur de *Sun Microsystems*, en est un bon exemple. Il aime son travail, sans pour autant négliger sa famille. Il dîne à la maison au moins 25 soirs par mois, contrairement à la plupart de ses collègues qui n'y sont que 5 fois par mois.

«En faisant le relevé mensuel de son emploi du temps, on évite de se laisser aller», dit-il. «On sait tout de suite si son agenda correspond à ses priorités». Vinod Khosla connaît ses priorités et s'y tient.

«Personne n'a jamais dit, sur son lit de mort: "J'aurais dû passer plus de temps au bureau."»

Anna Quindlen, romancière de renom, conférencière et chroniqueuse au *New York Times*, donne priorité à sa famille.

«Voici mon curriculum vitæ», dit-elle, «je suis une bonne mère de trois enfants. Je me suis efforcée de ne jamais laisser ma carrière entrer en conflit avec mon rôle de parent. Je ne me considère plus le centre de l'univers.» Ne se percevant pas comme le centre de l'univers, elle reconnaît que les besoins de ses enfants passent souvent avant les siens.

Les familles aimantes prévoient le pire et espèrent le meilleur. L'acteur de cinéma et de télévision, James Woods, primé aux *Golden Globes* et aux *Daytime Emmy Awards*, était très proche de son père. Il ne se souvient que d'une seule dispute survenue entre ses parents. Son père voulait acheter une assurance hypothécaire, mais sa mère s'y opposait, invoquant la prime mensuelle élevée de 14,25 $.

Six mois plus tard, son père est décédé, laissant sa mère inquiète de perdre sa maison. Au bout de quelques semaines, un employé de la compagnie d'assurances s'est présenté chez elle, pour lui remettre un chèque couvrant la totalité de l'hypothèque. Tant bien que mal, son père était parvenu à réunir assez d'argent pour effectuer les paiements.

«C'est l'homme le plus extraordinaire que j'aie connu. Il plaçait sa famille au-dessus de tout», affirme James Woods. Même après son décès, le père de James Woods veillait sur sa famille.

> *« Ce que vous êtes parle si fort que je n'entends pas vos paroles. »*
>
> — Quintilien

Tout est dans l'attitude

Notre monde n'a rien de statique. Le changement est inévitable: les rescapés s'y résignent, les gens d'action en tirent le meilleur parti. La différence entre les victimes et les gens d'action tient à leur état d'esprit face à l'adversité. Chaque membre d'une famille sort affaibli ou renforcé, selon la manière dont sa famille vit les périodes de crise.

La famille a toujours compté, aux yeux de la romancière Harriet Beecher-Stowe, auteure du roman antiesclavagiste à succès *La Case de l'oncle Tom*. Sa famille valorisait l'instruction et le sens moral. Son père et son frère étaient pasteurs et sa sœur a fondé plusieurs écoles. En 1852, deux événements ont incité Harriet Beecher-Stowe à écrire son roman, appelé à devenir un grand succès de librairie: la *Loi sur les Esclaves fugitifs*, qui exigeait des habitants du Nord des États-Unis de retourner les esclaves en fuite à leurs maîtres, sous peine de payer l'amende, et la mort de Charles, son fils d'un an.

« C'est auprès de mon fils mourant et devant sa pierre tombale que j'ai compris le sentiment d'une pauvre mère esclave à laquelle on arrachait l'enfant», a-t-elle raconté. Au lieu de s'effondrer, Harriet Beecher-Stowe s'est inspirée d'un événement tragique pour écrire un classique de la littérature. Grâce à ce livre, elle a influencé des millions de lecteurs et a fait naître une meilleure compréhension entre les personnes de races différentes.

« J'ai appris d'expérience que le bonheur ou la tristesse tiennent, avant tout, à notre état d'esprit et non aux circonstances de la vie. »

— Martha Washington, première dame des États-Unis.

Vous avez raison, Martha! Ce que nous sommes dépend de nous.

Le pouvoir des parents

Les parents se voient offrir la plus importante possibilité qui soit: la responsabilité et le privilège de façonner la vie d'une autre personne. Si vous avez consenti à cette responsabilité, en mettant un enfant au monde, vous devez vous oublier pour cet enfant. Vos aspirations et vos désirs passent après votre rôle de parent.

Il ne faut jamais sous-estimer votre pouvoir. Même l'enfant qui semble indifférent à votre présence observe et apprend. Tous les enfants veulent plaire à leurs parents et être aimés.

Les moindres agissements et paroles des enfants sont une manière de vérifier l'amour de leurs parents. Le pouvoir unique que vous avez de soutenir vos enfants ou de les détruire est considérable, parce que c'est vous qui comptez le plus dans leur vie.

«Pour avoir du pouvoir, il faut le prendre.»

— William Marcy Tweed

Le pouvoir de l'exemple

C'est par l'exemple que l'on induit un comportement chez l'enfant. Si vous buvez trop, vous devez vous attendre à ce que votre enfant boive trop. Si vous n'êtes pas honnête, votre enfant n'y verra aucun mal. Si vous ne respectez pas les autres, votre enfant se donnera toujours priorité. Votre enfant tend à vous admirer et à vous imiter, à moins qu'il ne découvre quelque incohérence ou quelque hypocrisie entre vos paroles et vos actions.

«Pour élever un enfant dans le droit chemin, empruntez vous-même ce chemin.

— Josh Billings

Chris Spielman, secondeur de ligne dans la NLF, la Ligue nationale de football, aux États-Unis, est devenu un modèle remarquable pour sa famille. En 1998, sa femme, Stefanie, a appris qu'elle avait le cancer du sein. Chris Spielman, joueur vedette couvert d'honneurs, père de deux enfants, a décidé d'abandonner le football, pour demeurer à la maison et s'occuper de sa femme et de ses enfants. Il s'est documenté en médecine, comme il l'avait fait dans le domaine du football, et a élaboré une stratégie. Il s'exprimait dans les mêmes termes que sur le terrain de football: «Il n'est pas question de perdre».

Sa motivation lui venait, avant tout, de l'amour de sa femme et de son désir de donner le bon exemple à ses enfants. «Quel genre d'homme serais-je», explique-t-il, «si je n'avais pas soutenu ma femme, quand elle avait besoin de moi?... C'est ma famille. C'est ma responsabilité. C'est mon devoir.» En 1999, il a pris sa retraite pour devenir analyste au réseau *Fox Sports Net*. Chris et Stefanie ont créé un fonds de recherche sur le cancer du sein, qui porte le nom de *Stefanie Spielman Fund for Breast Cancer Research*. Ils se sont engagés à recueillir un million de dollars. Malgré la tragédie, Chris a maîtrisé la situation et s'est engagé à trouver une solution.

«Le bon exemple dans une famille est le plus précieux héritage.»

Sachez pardonner et oublier

Nous ne sommes pas parfaits. C'est pourquoi nous devons admettre nos failles honnêtement, envers nos enfants et envers nous-mêmes. Parfois, les mots les plus simples, comme «je suis désolé», sont les plus forts. Si nos difficultés nous paraissent insurmontables, il faut demander de l'aide, de manière à rester de bons modèles pour nos enfants.

«Ne cherchez pas à qui la faute. Cherchez une solution.»

— Henry Ford

La force de l'exemple

- L'enfant constamment critiqué apprendra à blâmer les autres.

- L'enfant confronté de jour en jour à l'agressivité et à la discorde deviendra agressif à son tour.

- L'enfant rarement félicité se limitera à ses tâches courantes.

- L'enfant fréquemment culpabilisé évitera les situations difficiles.

- L'enfant auquel on permet de se tromper fera preuve de créativité.

- L'enfant que l'on encourage aura confiance en lui.

- L'enfant félicité de ses succès aura de meilleurs résultats.

- L'enfant qui réussit mieux rehaussera son estime de soi.

- L'enfant traité avec justice prendra des décisions plus justes.

- L'enfant de parents responsables aura à son tour le sens du devoir.

La pyramide des parents

Nous voulons apprendre le respect à nos enfants et nous désirons les voir réussir. Aussi faut-il leur parler en termes positifs. On pourra utiliser cette **pyramide pour les parents**.

Peggy Warson a trouvé une manière originale de montrer son appréciation à ses enfants. Elle utilise une assiette rouge pour encourager les comportements positifs. Quand l'un de ses garçons se montre particulièrement gentil envers un autre enfant ou qu'il met beaucoup d'effort à accomplir une nouvelle tâche, on lui sert son repas dans l'*Assiette rouge*. Le reste de la famille tente de deviner ce que l'enfant a fait. C'est une façon de mettre l'accent sur les comportements souhaitables et de les encourager.

ROGER FRITZ

«Nous la donnons rarement pour souligner un succès», dit Peggy, «mais le plus souvent pour récompenser l'effort et un bon sens des valeurs.» PAGR.

Les conseils d'un parent

- Soyez d'abord honnête avec vous-même, puis avec les autres.
- N'attendez pas de bénéfices sans risques.
- Soyez réaliste. En général, le monde n'est pas tel que vous le souhaitez.
- Prenez votre vie en main.
- Rêvez la nuit. Le jour, agissez.
- Ne feignez les émotions que si vous êtes acteur.
- Soyez le plus attentif à ceux qui vous aiment.

Soyez fidèle à vos convictions

Comme parent, vous devez vous en tenir à vos convictions, même face au désaccord d'autres parents. Il peut arriver que vos meilleurs amis diffèrent d'opinion avec vous, quant à l'éducation des enfants.

Observez votre enfant dans les petites choses. Vous le connaissez mieux que tout autre et vous devez faire confiance à votre instinct. Si votre bébé fait le difficile et vous soupçonnez qu'il ne va pas bien, vous avez sans doute raison. Si votre adolescent est inaccessible et d'humeur changeante, il faut lui demander pourquoi. Si vous croyez déceler des problèmes de santé chez un parent âgé, prenez les choses en main. Les gens nous envoient constamment des messages non-formulés.

Jerome Groopman et sa femme Pam, tous deux médecins, se sont rendus chez le pédiatre avec Steve, leur bébé malade. Le pédiatre les a rassurés: l'enfant souffrait d'une simple infection virale. Ce soir-là, Steve était blême et repliait les genoux sur la poitrine. Ils l'ont conduit à l'urgence où un médecin résident a diagnostiqué une occlusion intestinale.

Les parents ont constaté de petites anormalités. Le médecin résident n'était pas rasé, signe probable, aux yeux de Jerome, d'une longue journée de travail. Pam a dû lui répéter les symptômes de Steve. Le résident leur a conseillé de laisser le bébé à l'hôpital cette nuit-là, pour observer ses symptômes et le laisser dormir quelques heures. Le résident ne leur inspirait pas confiance. Malgré l'heure tardive, ils ont appelé un éminent médecin, ex-collègue de Jerome. Ce médecin les a dirigés vers le docteur Levey, spécialiste en chirurgie infantile. Le docteur Levey s'est rendu à l'hôpital où il a constaté qu'il fallait opérer l'enfant d'urgence.

L'opération a réussi et le docteur Levey a déclaré par la suite que, si les parents avaient attendu, Steve serait sans doute mort, l'intestin perforé.

Les Groopman n'ont pas regretté leur attention aux détails. Selon eux, leurs connaissances médicales leur ont été moins utiles que leur instinct de parents. Ils savaient que leur fils était gravement malade et se sont assurés de lui procurer les meilleurs soins possible. S'ils ne l'avaient pas fait, Steve aurait pu mourir.

«Faites-vous confiance. Vous en savez plus que vous ne croyez.»

— Benjamin Spock, M.D.

Lorsqu'on élève un enfant, il faut parfois aller à l'encontre des tendances. Un été, Lauren a invité la fille adolescente de Sue Meyer et cinq autres camarades à un carnaval de nuit. Sue n'aimait guère l'idée, mais sa fille ne voulait pas se priver de ce plaisir. La réponse de Sue a été sans appel – c'était non. Au cours de la journée, Lauren a rappelé Sue. Les autres mères l'approuvaient: au lieu d'aller au carnaval, les jeunes filles iraient plutôt au cinéma.

«Il est parfois difficile d'avoir à dire non», explique Sue, «surtout si les autres parents, malgré leur inquiétude, n'ont pas le courage de dire non à leurs enfants.»

Selon certains parents, fumer de la marijuana fait partie du processus de maturation vers l'âge adulte. D'autres parents n'ont pas d'objection à ce que leurs enfants voient des films un peu douteux et d'autres encore acceptent sans problème la violence à la télévision, mais non les scènes sexuelles. Des gens qui ont votre admiration et votre confiance peuvent diverger d'opinion avec vous sur l'éducation des enfants. Il vous faut rester fidèle à vos convictions et opter pour le plus grand bien de votre enfant. Vous ne pouvez pas en confier la responsabilité à quelqu'un d'autre, à moins d'accepter ses valeurs. Malgré l'apparente banalité de certaines situations, la somme de vos décisions aura beaucoup de poids chez votre enfant devenu adulte. PAGR.

«Si les choses nous dominent,
nous sommes prisonniers.
Si nous dominons les choses,
nous sommes libres.»

Trop de biens

Est-il possible d'avoir trop de biens? Si nous manquons de temps pour jouir de nos biens, nous devons revoir nos priorités. La famille de classe moyenne de Terry et Tom Anderson a tiré une précieuse leçon d'une expérience vécue lors de son déménagement en France. Partis pour un an seulement, ils ont loué une modeste demeure, acheté une voiture d'occasion et n'ont apporté que quelques jouets des enfants. Un jour, un camarade français est arrivé avec un jeu de table recollé, venant de son père. Les enfants Anderson étaient tout étonnés de voir son enthousiasme devant ce vieux jeu de table déglingué.

«L'expérience nous a ouvert les yeux», raconte Terry. «Nous avons vu combien d'autres apprécient ce qu'ils ont. J'étais gênée, sachant que nous avions encore davantage de biens à la maison. Aux États-Unis, je ne m'étais jamais considérée riche. Nous n'étions pas conscients de l'abondance de nos biens.»

«Rien qui vienne de Dieu ne s'obtient avec de l'argent.»

— Tertullien

Avez-vous besoin de tous vos biens? Êtes-vous si occupé à travailler et à faire des achats que vous n'avez pas le temps d'en profiter?

Selon une étude récente, les gens heureux ne cherchent pas à se comparer à leurs voisins. Le principal indicateur de satisfaction dans la vie est l'aptitude à ne pas s'évaluer en fonction de ses biens. Selon le *National Institute of Aging*, on est plus heureux en s'aimant, en appréciant ses talents et en espérant réussir, sans donner priorité à l'accumulation de biens.

> *« Les gens les plus heureux développent une aptitude à ne pas céder au désir d'acquisition. »*

Les malheurs de l'endettement

Éviter l'endettement excessif et apprendre aux enfants le sens de l'économie, voilà qui représente de précieux atouts au sein d'une famille. Plusieurs sociétés émettrices de cartes de crédit ciblent les étudiants du niveau universitaire, même ceux qui ne travaillent pas, pour leur offrir des cartes de crédit. Certains étudiants, de par leur éducation, tiennent à avoir un train de vie aisé. Lorsque ces jeunes s'endettent, leurs parents se sentent obligés d'acquitter leurs factures.

L'un des meilleurs éléments de la vie d'étudiant, c'est que, sur le plan financier, tout le monde est à peu près au même niveau. Mais aujourd'hui, l'accès facile aux cartes de crédit incite les jeunes à dépenser de l'argent qu'ils n'ont pas. Plusieurs d'entre eux cèdent à la tentation. Il est étonnant de constater à quelle vitesse de petites sommes s'additionnent pour devenir d'énormes dettes.

> *« Quand vient la prospérité, ne l'épuise pas. »*
>
> — Proverbe chinois

Les familles unies

Depuis des siècles, les immigrants ont compris l'importance des liens familiaux. Les parents travaillaient dur pour procurer une vie meilleure à leurs enfants. Leur réussite dépendait de leur intégration dans la société américaine.

De nos jours, il arrive encore souvent que des parents aident financièrement leurs enfants en début de carrière. Al Gross reconnaît le rôle primordial que ses parents ont joué dans sa vie. Ils ont toujours pris ses intérêts à cœur. À 12 ans, ils lui ont offert son premier récepteur radio à cristal. Grâce à leur appui, il a mis au point le premier appareil radio émetteur-récepteur portable. L'appareil permettait de «parler en marchant». Ainsi, le poste émetteur-récepteur portatif, ou talkie-walkie, a vu le jour. Al Gross est l'inventeur du circuit imprimé, à la base de la téléphonie cellulaire, des téléavertisseurs et des téléphones sans fil.

«Pour réussir, on doit transformer sa bougie en flambeau.»

Par bonheur pour lui, les parents de Jeff Bezos l'ont beaucoup soutenu. Ils lui ont donné le soutien affectif et financier dont il avait besoin pour mettre sur pied sa propre entreprise Internet en ligne. En sollicitant de l'argent à sa famille et à ses amis, il les a informés du risque qu'ils couraient, son entreprise n'ayant que 30 % de chances de réussir. Il ne voulait amener personne à investir des sommes qu'ils ne pouvaient risquer de perdre.

Le père de Jeff a d'abord cru qu'il avait tort de quitter un emploi stable pour lancer une entreprise ayant 70 % de risque d'échec. Mais ses parents ont finalement décidé d'y investir leur fonds de retraite, une somme de 300 000 $. Quelle était l'unique raison de leur décision? Ils avaient confiance en leur fils.

En juin 1995, Jeff Bezos a demandé à 300 amis et membres de sa famille de mettre secrètement à l'essai son nouveau site Internet. Dès son lancement, un mois plus tard, le site *Amazon.com* a été un succès. En 30 jours, sans aucune couverture médiatique, Jeff Bezos a vendu des livres dans 50 États et 45 pays. La famille et les amis de Jeff Bezos ont très bien réussi. L'entreprise en constante progression a vendu un million de livres en 1995 et 18 millions de produits en 2000. Les parents de Jeff Bezos, détenteurs de 6 % des actions, sont devenus milliardaires et, en 1999, les actions de Jeff Bezos valaient 10,5 milliards de dollars.

«L'intelligence ne peut rien sans la volonté.»

Les écueils du mariage

Trop souvent, dans la vie conjugale, les petits désaccords s'amplifient jusqu'à mener à une guerre civile ou presque. Il est sans doute plus facile de parsemer le mariage de petites surprises susceptibles de donner une tout autre tournure à la relation.

Voici quelques surprises infaillibles: les fleurs, les bonbons sous l'oreiller, le petit-déjeuner au lit ou un dîner exceptionnel. Il est étonnant de constater à quel point de si petits changements peuvent égayer le climat d'une relation.

Mike Johnson et sa famille sont allés vivre au Colorado. La femme de Mike n'était pas heureuse du déménagement et semblait déprimée. «Je n'arrivais pas à lui remonter le moral», dit Mike. «Nous ne cessions de nous quereller.»

Mike lui a offert un bon-cadeau dans un salon d'esthétique et lui a proposé de s'occuper de leurs trois jeunes enfants. «Elle a pu profiter du repos dont elle avait grand besoin et son humeur a changé», dit-il.

Cette simple manifestation de gentillesse a aidé toute la famille.

«Dans une société, toute solidarité repose sur la famille.»

— Jill Ruckelshaus

La pyramide du mariage

Il suffit souvent de quelques mots tout simples pour couper court à un désaccord. En cas de dispute avec son conjoint, il est bon d'avoir à l'esprit la pyramide du mariage.

Nous

Je suis désolé

Ensemble,

nous y arriverons

Qu'en penses-tu?

Je comprends ton point de vue

Le mot le plus fréquemment utilisé pour décrire un mariage réussi est sans doute le mot: association.

C'est un terme approprié, mais il suggère un partage égal et constant – un idéal inatteignable pour la plupart d'entre nous. Le mot qui convient le mieux, selon moi, est: accommodation. Il correspond davantage à la réalité, car il signifie:

- Adaptation à ce que l'on désire.

- Volonté de se faire plaisir mutuellement.

- Apprivoisement continuel des différences. On règle très peu de désaccords une fois pour toutes.

Le mariage est...

1) plus qu'une promesse de fidélité;

2) l'expérience quotidienne du don de soi;

3) un compromis sans fin;

4) un pont dégagé, sans obstacles, permettant de se comprendre l'un l'autre;

5) un pacte de respect mutuel;

6) un contrat cœur à cœur.

Le mariage n'est pas...

1)   un refuge pour se protéger;

2)   une arène d'égoïsme;

3)   une attirance physique inaltérable;

4)   un abri pour les faibles;

5)   une fuite de la réalité.

«Je crois que les activités communes sont primordiales dans la vie de famille. C'est un cliché trop souvent repris, mais, selon moi, pour demeurer unis, mari et femme doivent faire des choses ensemble et vivre dans le partage.»

– Barbara Bush

Les rapports avec la parenté

Au début du XXᵉ siècle, les Nord-Américains habitaient souvent avec leur famille élargie. On naissait et mourait au même endroit, parfois dans la même maison. De nos jours, c'est un défi de rester lié à sa famille élargie. Les petites actions jouent un grand rôle, quand il s'agit de maintenir des relations étroites avec sa parenté et de l'intégrer à sa vie. Voici quelques idées éprouvées:

- **Appelez pour demander conseil:** Téléphonez et informez-vous des membres de la famille. Rien ne vaut le son d'une voix chaleureuse. C'est une bonne façon de garder les circuits de communication ouverts et de faire savoir à vos proches que vous appréciez leurs conseils.

- **Envoyez des surprises par la poste:** Si vous ne pouvez assister à une célébration particulière, envoyez une «fête dans une boîte-cadeau», en y incluant des bonbons, des serpentins et des chapeaux en papier et, bien sûr, un cadeau. Les aînés de la famille apprécient particulièrement le «vrai» courrier.

- **Envoyez des mises à jour par Internet:** Tout le monde veut entendre parler des événements spéciaux et en voir des photos. Numérisez les photos des membres de votre famille et envoyez-les par courriel à votre parenté.

- **Les réunions de famille:** Les réunions de famille sont un excellent moyen de créer des liens et de permettre aux enfants de connaître leur parenté. Offrez un t-shirt à toutes les personnes présentes (et même aux absents), et organisez des activités extérieures. Demandez aux membres de la famille d'écrire et de donner de leurs nouvelles. Vous pouvez rassembler les lettres et en faire un livre pour les invités. Demandez à un photographe de prendre une photo du groupe.

- **Faites une visite:** Rien ne vaut une visite. Inscrivez-vous à un programme pour grands voyageurs ou demandez à tous de contribuer à l'achat d'un cadeau hors de l'ordinaire. Renseignez-vous en ligne sur les tarifs réduits.

L'avenir
Ce n'est pas la résultante de choix,
parmi diverses possibilités.
C'est un lieu que l'on se crée; d'abord,
dans l'esprit, puis dans la volonté,
puis dans l'action.

Ce n'est pas une destination,
mais un état de choses en devenir.
Les chemins qui y mènent n'existent pas,
ils se tracent. Le processus transforme
à la fois l'artisan et la destination.

On doit traiter ses proches aussi bien, sinon mieux, que les étrangers. Une de mes amies revient toujours déçue de ses visites à sa famille.

«Je mets trois heures à me rendre chez mon frère. À mon arrivée, personne ne se lève pour m'accueillir. Ils sont trop occupés à regarder le match de football», relate Susan Hanson. «Je me demande pourquoi je me donne la peine d'y aller.»

Dans une famille, il est fréquent d'oublier les règles élémentaires de politesse. Chacun tient les autres pour acquis, faute de se mettre à leur place.

«Nous ne pouvons rien faire de grand,
seules de petites choses avec grand
amour.»

— Mère Teresa

En bref...

À quoi donnez-vous plus de prix, à votre famille ou à votre carrière? Notre emploi du temps révèle nos priorités. Nous consacrons la majeure partie de notre temps à ce qui nous paraît essentiel. L'équilibre est crucial. Ne l'oubliez pas, on peut changer d'emploi, mais pas de liens familiaux. En évaluant le temps consacré à votre famille, vous vous connaîtrez mieux. Le fait de changer de petites choses dans votre vie peut y jouer un grand rôle.

- Notez le nombre d'heures hebdomadaires de détente que vous passez avec votre famille.
- Combien de temps consacrez-vous individuellement avec chaque membre de la famille? Accordez-vous à chacun de vos enfants une heure de votre pleine attention, chaque semaine?
- Vous réservez-vous des moments d'intimité avec votre conjoint ou conjointe?
- Où trouve-t-on du temps libre à votre agenda?
- Profitez-vous de vos biens? Lesquels représentent un poids pour vous?
- Comment pourriez-vous simplifier votre vie, tout en continuant de vous consacrer à vos obligations et aux relations qui vous importent le plus?

CHAPITRE 3

Les petites choses façonnent les relations

L'importance des amis

Vous estimez-vous un bon ami? Vous pouvez avoir beaucoup d'amis ou seulement quelques-uns. Le nombre importe moins que la qualité. Que faut-il faire pour avoir et pour être un ami? Voici ma liste. En quoi se compare-t-elle à la vôtre?

- **Soyez disponible**. Si vous voulez un ami, vous devez lui consacrer du temps. Toutefois, faites preuve de patience si votre ami est momentané-ment surchargé de travail.

- **Réjouissez-vous des réalisations de votre ami**. Il est parfois tout aussi difficile de vanter les succès d'un ami que de le soutenir dans l'épreuve. Soyez pleinement heureux des bon-heurs de votre ami, sans jalousie.

- **Recevez vos amis**. La chose paraît simple, mais une personne très occupée en vient souvent à reporter les invitations. Vos amis devraient se sentir bienvenus et à l'aise chez vous. Invitez-les au dessert, si vous manquez de temps pour les inviter à dîner.

- **Posez des questions**. Intéressez-vous à la vie de vos amis. Assurez-vous de ne pas dominer la conversation. Si vous êtes deux, vous ne devriez prendre la parole que 50 % du temps.

- **Soyez positif**. Personne n'aime les grincheux. Il nous arrive à tous de vouloir partager nos soucis, mais évitez de maugréer sans arrêt.

«Le plus grand bien que peut offrir un ami est une oreille attentive.»

— Maya Angelou

Apportez votre soutien

Les bons amis se connaissent si bien qu'ils arrivent à deviner ou même, parfois, à anticiper un besoin.

Dari Lavender a connu l'un des moments les plus sombres de sa vie lorsque son mari a été congédié de l'entreprise où il travaillait depuis 20 ans. Comme c'est souvent le cas, le mari de Dari s'était défini par son emploi.

«Ce soir-là, nous étions en état de choc, ne sachant que faire. C'est humiliant et terrifiant d'être congédié, même quand on n'a rien à se reprocher», relate-t-elle. «Nous ne savions pas comment nous allions boucler notre budget, ni comment annoncer la nouvelle à notre entourage.»

Au cours de la soirée, on a sonné à la porte; quatre amis du couple avaient apporté des ballons, des chapeaux de fête, des boissons et de la nourriture. Ils étaient venus célébrer la «libération de Russell!»

La nouvelle s'était vite répandue, de bouche à oreille. Les amis de Dari et de Russell avaient tenu à poser un geste, sans savoir comment il serait reçu. Dari était ravie de voir que tant de personnes les aimaient assez pour courir ce risque. Les amis de Dari ont transformé une épreuve en célébration.

«Cette marque de solidarité nous a fait voir les choses autrement, elle nous a évité d'avoir à annoncer la nouvelle et nous a rappelé que la véritable amitié s'exprime parfois par la réponse à un besoin, même non formulé!», précise Dari. Ainsi, Dari et Russell, qui avaient toujours voulu lancer leur propre entreprise, ont vu la situation comme une occasion de changement.

«À défaut de trouver une voie, tracez-en une.»

Évitez les conflits

Il est souvent possible d'éviter les conflits avec ses amis, en gardant en mémoire quelques règles simples.

1. Ne parlez pas de politique ou de religion, à moins d'avoir la certitude que cette personne partage vos idées. Comme les gens tiennent à leur opinion, en règle générale, l'un de vous risque de se mettre en colère. Ce sont des sujets que même les meilleurs amis devraient éviter.

2. Ne dénigrez jamais vos amis, leurs conjoints ou leurs enfants. Si quelqu'un le fait, parlez d'autre chose.

3. Soyez disponible pour vos amis, sinon ils cesseront de vous appeler.

4. Avec vos amis, évitez toute transaction, vente de biens ou tout ce qui a trait à l'argent. Ne prêtez à un ami que ce que vous consentiriez à lui donner. Évaluez la situation en vous demandant si vous préférez cette personne à l'objet ou à l'argent que vous risquez de perdre.

> **«Si vous n'êtes pas d'accord avec moi, cela signifie que vous n'écoutiez pas.»**
>
> — Sam Markewich

Si vous entrez en conflit avec quelqu'un, réfléchissez avant de répliquer. Les questions suivantes vous aideront à éviter les réactions inconsidérées, susceptibles d'aggraver la situation:

- Ai-je été juste envers cette personne? Ai-je prêté toute mon attention à ses paroles ou me suis-je fermé à un certain moment?
- Est-ce que je présuppose que cette personne n'a rien de nouveau à me dire?
- Existe-t-il entre nous des points communs qui m'ont échappé?
- Est-ce que je juge cette personne d'après ses paroles ou son apparence?
- Ai-je cherché un terrain d'entente ou m'en suis-je tenu aux positions extrêmes?
- Ai-je tenu trop de choses pour acquises? Ai-je vérifié le bien-fondé de mes affirmations?
- Suis-je objectif ou est-ce que je me base sur des idées préconçues?

Une parole réconfortante

Les vrais amis nous rendent la vie plus facile et plus heureuse. Ils sont rares et on devrait toujours les traiter avec égards.

Le mari de Margaret Helmstetter l'a quittée peu avant la naissance de sa fille. Enceinte, seule et sans emploi, elle se sentait perdue. Sa famille l'a aidée en la logeant et en assurant sa subsistance jusqu'à la naissance de sa fille. Peu après, Margaret a trouvé du travail. Son amie Janet a accepté de s'occuper du bébé.

«La seule chose qu'ils ne pouvaient faire c'était d'éliminer l'amertume qu'avait suscitée en moi le départ de mon mari», rappelle Margaret.

Un jour, après le travail, Margaret est allée chercher sa fille et Janet a changé sa vie en lui disant: «C'est toi qui as le plus de chance. Tu seras témoin de ses premiers pas et de ses premiers mots. Pas lui.» Ces simples paroles d'une amie ont permis à Margaret de voir les choses autrement.

«J'ai pu me défaire de l'amertume qui empoisonnait mon existence et me concentrer sur l'essentiel. Je garde précieusement en mémoire les paroles de mon amie, ce jour-là. Elles ont transformé ma façon de voir les choses. L'adage: «Après la pluie, le beau temps» a pris tout son sens pour moi, parce qu'une amie a prononcé des mots tout simples», dit-elle.

«Les gens les plus heureux se réjouissent des succès de leurs amis.»

La recherche d'une solution

Entre amis, on se donne du mal pour se rendre service. À une semaine de son mariage, Beatrice Tortorici Sheftel s'est fait voler sa robe de mariée, dans une auto.

«Je frôlais l'hystérie», raconte Beatrice. «Mes demoiselles d'honneur avaient leurs robes. Mon fiancé et ses garçons d'honneur avaient leurs smokings. Qu'est-ce que j'allais porter en remontant l'allée, devant nos 200 invités?» avait-elle dit en pleurant.

Les appels désespérés de sa mère aux magasins à rayons, au service de police et aux journaux n'avaient rien donné. Mais son amie de l'école secondaire, Joan Radeska Foley, qui était aussi sa demoiselle d'honneur, est venue à son secours.

«Je te trouverai une robe de mariée», a promis Joan. Elle a appelé des amies et trouvé parmi elles une nouvelle mariée qui acceptait de prêter sa robe. Joan, excellente couturière, a fait toutes les retouches.

«Ce jour-là, vêtue d'une robe empruntée plus élégante que la mienne, j'avais l'air d'une princesse. Je suis mariée au même homme depuis 37 ans et je suis toujours liée d'amitié avec celle qui a préservé ce beau jour de ma vie.»

*«On peut mettre toute la vie
à développer une véritable amitié.»*

— Sarah Orne Jewett

L'ami véritable cherche à répandre la joie. Sharon Wren a fait la connaissance de son amie Carole en se joignant à un groupe de rédacteurs humoristes en ligne. Pendant des mois, elle lui a envoyé des messages électroniques, racontant les neuf mois de coliques de son bébé et disant à quel point elle était exaspérée.

Un jour, Carole lui a envoyé un colis contenant une bouteille de bain moussant, un sac de bonbons à la gélatine *Jelly Belly*, un livre pour son fils, des chocolats *Godiva*, une boîte de thé et un disque compact de musique classique.

«Par pure générosité, elle m'a lancé une ligne de sauvetage et m'a donné des ailes», raconte Sharon. «Nous ne nous sommes jamais vues et n'avons jamais conversé au téléphone. Nous n'utilisons que le courrier électronique. Elle vit en Caroline du Nord et j'habite l'Illinois. Elle n'en demeure pas moins une amie très chère» PAGR (Petites actions, grands résultats).

Les réseaux de voisins

Aimez-vous vos voisins? On ne choisit pas ses voisins. Ils sont déjà là, à l'achat de la maison. Les meilleurs quartiers ne sont pas nécessairement les plus cossus, mais ceux qui favorisent le bon voisinage. Il arrive souvent qu'une seule personne contribue à rapprocher les résidants d'un même quartier. Vous pourriez jouer ce rôle.

«Bienveillance en actes dure plus longtemps que bienveillance en paroles.»

Rosemary Hansen, de Layton, dans l'Utah, venait tout juste d'emménager dans une nouvelle maison. Elle a accouché une semaine avant Noël. À son retour de l'hôpital, une multitude de tâches ménagères et quatre enfants malades réclamant des biscuits de Noël l'attendaient. Elle était débordée. Mais ses nouveaux voisins ont été pour elle une bénédiction. Ils l'ont accueillie dans le quartier avec des repas chauds et des biscuits de Noël tout juste sortis du four. Elle ne l'a jamais oublié.

Vous vous demandez peut-être comment aider les autres? Il vous faut, avant tout, observer les petites choses. Celles qui vous agacent pourraient être des appels à l'aide: les journaux du voisin s'accumulant dans l'allée d'accès au garage, un trottoir qu'on ne déneige pas ou une clôture endommagée qu'on ne répare pas. Au lieu de critiquer, peut-être pouvez-vous rendre service. Le plus souvent, c'est vous qui y gagnerez, en termes de satisfaction personnelle.

«Un trésor ne saurait être un ami mais un ami est un trésor.»

Pour des raisons professionnelles, Nancy Wilson a dû laisser sa maison inoccupée pendant un an. Cela inquiétait sa voisine, Cindy Plant, qui s'est fait un devoir de surveiller la maison et qui a profité de l'occasion pour enseigner à ses jeunes enfants à rendre service.

L'été venu, Cindy a planté des fleurs dans le jardin, à l'avant, de manière à faire paraître la maison habitée. En hiver, elle a fait des traces de pneus dans l'entrée et a demandé à ses enfants de courir dans le jardin pour laisser des pas dans la neige. Quand le chauffeur du chasse-neige reportait à la fin de sa journée de travail, le dégagement de l'allée d'accès au garage chez les Wilson, Cindy protestait. «Comme elle était absente, j'avais demandé qu'on dégage son allée en premier.» Cindy se sentait responsable de ses voisins. En plus de rendre service à sa voisine, elle a donné à ses enfants de précieuses leçons de générosité, de serviabilité et de dévouement. Voilà ce qui s'appelle être un parent efficace!

«On réussit grâce à ce que l'on donne, non grâce à ce que l'on a.»

David Fison était charpentier de marine, à bord d'un navire de transport de troupes en Nouvelle-Guinée, en 1944. Son navire transportait 1 000 soldats blessés. C'était le temps des fêtes et le moral des soldats était au plus bas. David voulait faire quelque chose, mais quoi? Il a eu l'idée de construire un sapin de Noël en bois, de le peindre en vert et de l'orner de lumières. Il a rassemblé des hommes pour former une chorale de Noël et a installé l'arbre dans l'infirmerie.

Le lendemain, le capitaine l'a convoqué. Il craignait sa réaction, car il avait agi sans permission, mais le capitaine lui a plutôt présenté un costume de père Noël. David Fison avait une nouvelle fonction, celle de père Noël. Il a si bien réussi à remonter le moral des hommes que l'un des soldats a parlé pour la première fois, depuis son accident.

«Au cours de ma longue expérience de pasteur, je n'ai jamais si bien compris la fête de Noël, dans son sens le plus fort, qu'à bord de ce navire de transport de troupes», relate David Fison. PAGR.

«Quand on connaît ses valeurs, il est facile de prendre des décisions.»

— Roy Disney

Un voisin tolérant peut influencer les jeunes de demain. Marty Nothstein, 14 ans, a lancé accidentellement un caillou sur la maison de son voisin. Quand l'adolescent est venu s'excuser, le voisin, entraîneur de l'équipe locale de cyclisme sur piste, a invité ce jeune homme énergique à se joindre à son équipe. Marty a accepté et a travaillé dur. Au cours de l'été 2000, il a remporté la médaille d'or au sprint de cyclisme sur piste aux Jeux olympiques de Sydney, en Australie. N'est-ce pas la preuve que l'attitude d'un voisin a son importance? Au lieu d'invectiver le jeune homme et de lui interdire l'accès à sa cour, le voisin s'en est occupé pour donner une tout autre orientation à sa vie. PAGR.

«Valorisez l'accumulation et vous accumulerez les problèmes. Montrez-vous serviable et on vous le rendra.»

Occupez-vous de votre quartier

Les véritables héros savent tirer parti des moyens qu'ils ont. Rose Espinoza a grandi à La Habra, en Californie, un endroit approprié selon elle pour élever sa fille. Toutefois, lorsqu'elle s'y est réinstallée, en 1990, la petite municipalité avait changé.

«À mon grand effarement, les rues de la ville étaient envahies de bandes de jeunes qui y semaient le désordre», raconte-t-elle. Au lieu de déménager, Rose a décidé d'agir. Tant bien que mal, elle a improvisé une salle de classe dans un garage et a distribué des circulaires dans le quartier, offrant des services de tutorat. Grâce au bouche à oreille, en peu de temps, elle a eu besoin d'un endroit plus grand, des parents se sont joints à elle et trois nouveaux centres de tutorat ont vu le jour.

«La Habra a vraiment changé. Le taux de criminalité a diminué et le rendement des élèves s'est remarquablement amélioré. Ma ville ressemble beaucoup plus à la petite communauté de ma jeunesse», dit-elle.

Si votre voisinage changeait, seriez-vous tenté de déménager? Il est facile de fuir un problème au lieu d'y faire face et d'y trouver une solution. Mais quel genre de personne sommes-nous, si nous évitons toujours les problèmes? Rose a décidé de considérer sa situation comme un heureux concours de circonstances. Elle a osé se retrousser les manches et changer des choses.

«Si c'est bien, faites-le!»

Un enseignement pour la vie

L'enseignante Jeannine Hubbard avait une classe coriace. Ses élèves chahutaient et ne remettaient pas leurs devoirs. Une partie du problème tenait au fait que plusieurs d'entre eux vivaient une situation familiale difficile et ressentaient beaucoup de colère. Jeannine Hubbard avait tenté d'apprendre à ses élèves les conséquences négatives de leurs actes, mais rien n'avait vraiment changé.

Un jour, elle a voulu leur apprendre les conséquences positives des comportements positifs. En guise d'exemple, elle leur a lu l'histoire d'une dame âgée, madame Jarbœ, qui avait écrit, par l'intermédiaire d'un journal, une lettre de reconnaissance à une jeune fille qui l'avait simplement embrassée. Le geste de la jeune fille avait beaucoup touché madame Jarbœ qui, à l'époque, vivait un moment douloureux. N'était-il pas merveilleux que madame Jarbœ ait pris le temps d'écrire un mot de remerciement?

Au grand étonnement de Jeannine Hubbard, les élèves ont commencé à parler de leurs problèmes. Ils ont décidé d'écrire à madame Jarbœ. À leur grande surprise, madame Jarbœ a répondu personnellement à chaque lettre. La classe était enchantée. Les élèves de Jeannine Hubbard avaient créé un lien avec madame Jarbœ.

En 10 ans, madame Jarbœ a correspondu avec 370 élèves de Jeannine Hubbard. Les élèves lui écrivaient et lui racontaient leurs problèmes. Madame Jarbœ a toujours pris le temps de leur répondre. Elle donnait autant, sinon plus, que ce qu'elle recevait.

N'est-il pas étonnant de constater la merveilleuse suite d'événements qu'a pu déclencher un simple baiser? PAGR.

« On ne choisit pas la nature ou l'heure de sa mort. On ne choisit que sa façon de vivre. Maintenant! »

— Joan Baez

Un courage hors du commun

Il arrive que des gens ordinaires se comportent en véritables héros et fassent preuve d'un courage remarquable. Ils donnent tout ce qu'ils ont, risquant même leur vie. Pendant la Deuxième Guerre mondiale, Corrie ten Boom, une catholique, était propriétaire d'une bijouterie, dans le quartier juif d'Amsterdam. Cette femme de 48 ans a caché des voisins et des clients chez elle, à une centaine de mètres du Commissariat de police. Connue sous le nom de «el Beje» ou «la cachette», la maison de Corrie ten Boom est devenue le noyau de la résistance clandestine. Quatre ans plus tard, Corrie ten Boom a été trahie et envoyée dans un camp de concentration. Grâce à une erreur bureaucratique, elle a ensuite été libérée.

Corrie ten Boom a continué d'aider les autres. Après la guerre, elle a créé un centre de réadaptation pour les ex-prisonniers de camps de concentration, et un autre centre pour les Allemands ayant travaillé sous le régime nazi.

C'est une femme qui croyait au pardon. Elle a fondé des centres pour jeunes filles et un centre pour jeunes déficients mentaux. Elle a aussi écrit des livres et donné des conférences. En 34 ans, elle a visité 64 pays, témoignant de sa foi en Dieu. «L'inquiétude ne rend pas l'avenir moins éprouvant; elle prive le présent de sa force», disait-elle. Corrie ten Boom est morte à l'âge de 91 ans.

«La mesure de la vie n'est pas la durée, mais la générosité.»

— Corrie ten Boom,
bénévole en aide humanitaire

Le sacrifice pour les autres

En 1955, à Montgomery, en Alabama, les autobus étaient divisés en trois sections: l'une pour les Blancs, l'une pour les Noirs, et une autre section dite «neutre». La première section était réservée aux personnes de race blanche, la section «neutre» pouvait accueillir les personnes des deux races et la section pour les Noirs était réservée aux Afro-Américains. Si un Afro-Américain était assis dans la section «neutre» et qu'une personne de race blanche voulait s'asseoir, l'Afro-Américain devait céder sa place. Rosa Parks a refusé de céder sa place à un Blanc. Ce geste, apparemment anodin, a conduit à son arrestation et a représenté un tournant décisif dans le combat pour les droits et libertés.

«Assurez-vous que vos valeurs essentielles soient partie intégrante de votre vie quotidienne.»
— Karen Chapmakian

Aidez votre pays

Ne sous-estimez jamais vos aptitudes. Même le destin d'un pays peut dépendre de petites choses. Vasili Mitrokhin, agent de la police secrète soviétique, était responsable du classement de plus de 300 000 dossiers et documents secrets. En 1972, il a commencé à les photocopier et à les dissimuler dans ses chaussures. Plus tard, comme on ne le fouillait pas, il a transporté un plus grand nombre de dossiers dans ses poches. Il a pu ainsi cacher tous les documents chez lui

En 1982, il a demandé l'asile politique à l'ambassade britannique et y a remis les dossiers. Les documents contenaient les noms de milliers d'agents secrets et révélaient l'emplacement de récepteurs radios, d'armes et d'explosifs dissimulés partout aux

États-Unis et en Europe. Ils faisaient partie d'un plan de sabotage de pipelines, de centrales électriques, de réservoirs et d'autres installations, en cas de guerre. Une action individuelle a sauvé plus de vies que des traités internationaux.

« L'État est à l'image de ceux qui le composent. »

— Socrate

L'origine de la paix dans le monde

La paix dans le monde
repose sur
la liberté des nations.

La liberté dans notre pays
repose sur
les valeurs familiales.

L'harmonie dans nos foyers
repose sur
le bon exemple des parents.

Le bon exemple individuel
repose sur
l'intégrité, la qualité des valeurs morales
et l'autodiscipline.

Sans l'honnêteté, de solides principes moraux et l'autodiscipline, il ne peut y avoir de paix dans nos foyers, dans notre pays et dans le monde.

En bref...

Après les attentats terroristes contre le *World Trade Center*, le 11 septembre 2001, deux jeunes filles de Charlotte, en Caroline du Nord, ont vendu de la limonade pour aider les familles des victimes. Un organisme local s'est engagé à offrir une somme égale à la somme recueillie. Personne ne s'attendait à voir les jeunes filles donner plus de 4 000 $ à la Croix-Rouge.

Voici quelques idées pour améliorer la qualité de vie dans votre quartier ou votre communauté:

- Invitez vos voisins pour leur permettre de faire connaissance. Quelqu'un doit le faire. Pourquoi pas vous?

- Apportez des repas aux personnes âgées ou tondez leur pelouse.

- Veillez à la propreté de votre quartier.

Avez-vous un ami proche? La meilleure façon de trouver l'amitié est d'agir en ami. Voici quelques conseils:

- Faites du bénévolat. Informez-vous des besoins de votre voisinage ou consultez les journaux de quartier.

- Joignez-vous à un organisme d'entraide. Les intérêts communs peuvent favoriser les nouvelles rencontres.

- Assistez aux offices religieux. On y est toujours à la recherche de bénévoles.

- Reprenez vos études. Suivez un cours par plaisir et profitez de l'occasion pour faire des rencontres.

- Invitez des voisins au moment de servir le dessert. C'est un bon moyen de rompre la glace.

Si vous n'avez pas le temps d'être un bon voisin ou un bon ami, faites des dons aux œuvres locales de bienfaisance. Nos talents doivent servir à l'amélioration du monde dans lequel nous vivons.

---

*«L'artiste Norman Rockwell a écrit,
en lettres d'or,
au sommet de son chevalet: "100 %".
Pour le satisfaire,
ses illustrations
devaient être parfaites.»*

CHAPITRE 4

Les petites choses comptent beaucoup au travail

*A*vez-vous déjà été satisfait d'un travail réalisé à 99 %? Le pourcentage à combler ne devrait pas vous inquiéter, mais en êtes-vous certain? Selon *Insight*, si le pourcentage de 99 % est acceptable, alors:

- au cours de l'année, deux millions de documents seront égarés par l'*IRS*, les services chargés de l'administration du fisc, aux États-Unis;
- au cours des 60 prochaines minutes, 22 000 chèques feront l'objet d'erreurs de débit dans des comptes de banque;
- à l'aéroport international O'Hare, deux avions atterriront dans des conditions dangereuses tous les jours;
- aujourd'hui, en fin de journée, on aura commis 107 erreurs médicales.

Les modèles de réussite exigent 100 % d'eux-mêmes. Ils veulent aussi donner pleine satisfaction à leurs clients.

D'accord d'être en désaccord

Mon expérience d'expert-conseil auprès de plus de 300 clients m'incite à croire que la plupart des entrepreneurs accomplis ont décidé de lancer leur propre entreprise, faute d'avoir été d'accord avec les priorités de leur patron ou l'orientation de la compagnie où ils travaillaient.

Howard Schultz, acheteur de café en grains pour le compte de *Starbucks*, une petite entreprise de Seattle, a été frappé de la popularité des bistrots, lors d'un voyage en Italie. Croyant pouvoir implanter le concept avec succès aux États-Unis, il en a parlé à ses patrons, à son retour. L'idée ne les a pas intéressés.

Insatisfait de leur réaction, Howard Schultz a démissionné. Il a convaincu des investisseurs du bien-fondé de l'idée, a réuni 1 650 000 $ et a ouvert son propre bistrot, où l'on servait du café *Starbucks*. Il a fait de tels profits qu'au bout de deux ans, il a acheté l'entreprise de son ex-employeur pour la somme de quatre millions de dollars et a donné le nom de *Starbucks* à ses propres bistrots. Il existe actuellement plus de 4 700 cafés *Starbucks*.

« On cesse de progresser,
non à cause d'une catastrophe,
mais en raison
de légers désagréments
et de petits problèmes accumulés. »

Prenez les commandes

L'enseignante Ann Connolly Tolkoff s'est trouvée à un point tournant de sa vie, en 1993, dans sa classe d'une école secondaire de Chelsea, dans le Massachusetts. Elle a demandé aux élèves de réciter un texte officiel, le *Gettysburg Address*, le discours prononcé par Abraham Lincoln à Gettysburg. Pendant qu'un garçon, immigré depuis peu aux États-Unis, récitait le texte, un autre élève s'est moqué de lui. Après une brève réprimande du directeur, il a réintégré la classe. La tolérance de la direction de l'école, face à ce manque de respect, a consterné l'enseignante. Avec sa collègue Sarah Kass, Ann Tolkoff a décidé de fonder la première école secondaire publique dotée d'un règlement et lui a donné le nom de *City on a Hill*. C'est une école qui met l'accent sur le sens des responsabilités, l'esprit d'initiative et le respect. Pendant l'année scolaire 1997-98, les 146 élèves de l'école *City on a Hill* avaient un dossier d'assiduité presque parfait.

> **«Si notre mode de vie nord-américain trahit l'enfant, il nous trahit tous.»**
>
> — Pearl S. Buck

Des risques calculés

José Serrato, pistoleur de cloisons sèches ayant une longue expérience de travail, a appris son congédiement au moment où son patron allait subir une intervention chirurgicale. Père de quatre enfants, José Serrato devait gagner sa vie. Son patron refusant de lui prêter de l'équipement, il a acheté son propre pulvérisateur, au prix de 400 $. Il a fabriqué un moteur artisanal et a accepté d'effectuer de petits travaux. Un entrepreneur ne l'a pas payé, mais le promoteur du projet lui a confié la sous-traitance des cloisons sèches de tout le projet. N'ayant que l'expérience de la peinture, José Serrato doutait de sa capacité de s'acquitter de cette tâche. Il a pris le risque. Il a embauché des personnes compétentes et sa nouvelle entreprise a prospéré. Courir ce risque a été rentable, son infortune lui ayant donné le courage de se tirer d'affaire par lui-même. En 1999, la société *Serrato Drywall, Inc.* avait un chiffre d'affaires annuel de 1,5 million de dollars.

> **«Les grands problèmes se résolvent petit à petit.»**

Foncez

Personne ne s'est montré intéressé à l'idée de Mark Cuban et de Todd Wagner de diffuser des messages audiovisuels par Internet, mais les deux hommes ont tenu bon. Ils ont recueilli 36 millions de dollars auprès d'investisseurs privés pour fonder leur propre entreprise, *Broadcast.com, Inc.*

«Nous n'avons jamais accepté la défaite», raconte Todd Wagner. «Il y a toujours moyen de réussir. C'est ce qui distingue les gagnants des perdants. Il y a tellement de secteurs d'activité qui pourraient changer, car les gens s'enlisent dans leurs habitudes.»

Au début, Mark Cuban et Todd Wagner étaient économes, utilisant des tables pliantes en guise de bureaux et versant des salaires horaires de 10 $, avec options d'achat d'actions. «Nous insistions sur le fait que les gens n'allaient pas s'enrichir grâce à leurs salaires», relate Todd Wagner. «C'était une question de propriété.»

Les employés leur ont fait confiance et l'entreprise a joui d'un faible roulement de personnel. En 1999, tous en ont profité quand *Yahoo* a acquis *Broadcast.com* pour la somme de 5,7 milliards de dollars. Oui, il s'agit bien de milliards!

«Si vous pouvez l'imaginer, vous pouvez le faire.»

— Walt Disney

Le soutien aux employés

Améliorer les conditions de vie des employés ne coûte pas forcément cher. La loyauté compte pour beaucoup dans le succès d'une entreprise. On peut grandement améliorer les choses en offrant de nouvelles possibilités d'avancement, en prêtant l'oreille aux suggestions, en manifestant son appréciation de l'effort soutenu et, surtout, en offrant des primes au rendement.

«J'apprécie vos critiques si vous appréciez ouvertement mes forces.»

— Irene O'Neill-Sam, rédactrice en chef

La loyauté et le respect

Certains employeurs traitent leurs employés comme s'ils faisaient partie de leur famille. Sam Walton, fondateur de *Wal-Mart*, invitait souvent ses employés à un barbecue chez lui. Il s'informait de leurs proches et écoutait leurs suggestions concernant l'entreprise. Il visitait régulièrement ses magasins et utilisait le haut-parleur pour s'adresser aux clients. Ses messages publicitaires donnaient la vedette à ses employés et à leurs enfants. Son décès a beaucoup attristé les employés.

«On se sentait membre de la famille *Wal-Mart*», relate Carol Ciolli, chef de rayon. Sam Walton savait qu'il devait mériter la loyauté des employés. Il était conscient de l'importance des petites choses pour garder les employés à son service. Voici la leçon à en tirer : Pour gagner la confiance de vos employés, informez-vous de leur famille, retenez les noms de leurs enfants et prêtez une oreille attentive à leurs doléances.

«Le succès ne vient pas de soi; il faut le mériter.»

Leroy Grumman a fondé la *Grumman Aircraft Engineering Corp.*, l'entreprise où l'on a construit les avions de chasse *Hellcat*, qui ont aidé à remporter la Deuxième Guerre mondiale. Avec l'intensification de la guerre, la demande a augmenté, mais Leroy Grumman craignait que la croissance de son entreprise de 250 employés ne lui fasse perdre son esprit de famille.

En 1945, la *Grumman Aircraft* employait 21 000 personnes, surtout des femmes. Préoccupé du bien-être de ses employés, Leroy Grumman leur a offert des cours de formation en ingénierie, des repas chauds, de la musique à l'heure du midi, des parties de softball et un service de garde d'enfants sur place. À la fin de la guerre, en 1945, 126 employés seulement ont voulu quitter l'entreprise, soit 0,006 %. C'est ce qu'on appelle de la loyauté!

«C'est à force de réalisations que l'on augmente sa confiance en soi.»

Investissez dans la formation des employés

Sandy Beall, président-directeur général de *Ruby Tuesday, Inc.*, a mis en pratique sa philosophie de gestion «priorité à l'employé» pour augmenter le chiffre d'affaires annuel de sa chaîne de restaurants de 27 % en moyenne, au cours des cinq dernières années. Au lieu de miser sur des campagnes de marketing tape-à-l'œil, il a décidé d'investir dans la formation du personnel. Parmi ses gestionnaires, 80 % – ce qui représente un pourcentage étonnant – sont d'anciens employés à salaire horaire. Il envoie tous ses gestionnaires à des sessions de formation au *Ruby Tuesday's Wow U. Campus*. (Il veut que leurs clients disent «wow» au moins trois fois par année). Son entreprise a 350 restaurants et 164 franchises et il projette d'ouvrir 80 à 100 restaurants additionnels par année.

Sandy Beall a réussi en mettant l'accent sur la formation des employés.

« Je n'avais pas peur de l'échec.
L'échec a toujours du bon. »

— Anne Baxter

Nouveaux employés, nouvelles idées

La façon de traiter les nouveaux employés est primordiale. Au début des années 1930, faisant fi de la tendance du moment, Marvin Bower a embauché de jeunes diplômés universitaires qui alliaient «une personnalité remarquable à l'intelligence, au sens des responsabilités, à la débrouillardise et à l'imagination». Il les a incités à penser et à agir en chefs d'entreprise. Désireux d'encourager la motivation et la créativité des nouveaux employés, il a exigé que les associés plus âgés ne possèdent qu'un faible pourcentage des actions de l'entreprise. Avant leur retraite, ils devaient commencer à vendre leurs actions aux plus jeunes. Selon Marvin Bower, «les jeunes doivent détenir des actions. Ils doivent acquérir le sens de la propriété».

À ses débuts, pendant la Crise de 1929, Marvin Bower travaillait comme avocat, à la défense d'entreprises ayant fait faillite. Il a vite constaté que la plupart des problèmes n'étaient pas seulement d'ordre financier. Les chefs d'entreprises ignoraient tout de la gestion, de la stratégie, de la planification des bénéfices et de l'efficacité organisationnelle. Il a vu qu'il pouvait offrir des services professionnels d'expertise conseil en gestion, comme les avocats et les comptables le faisaient, dans leurs domaines. Fort de cette conviction, il a créé, chez *McKinsey & Co.*, une nouvelle profession, celle de consultant en gestion. En guise de solution à un problème, Martin Bower a inventé une nouvelle profession et créé l'une des entreprises de consultation en gestion les plus importantes et les mieux connues dans le monde.

LE MANDAT DE L'EMPLOYEUR
- *Les techniques s'enseignent.*
- *L'humour, l'enthousiasme et la débrouillardise sont innés.*
- *Trouvez le maximum de personnes dotées de ces qualités et embauchez-les.*

Une question de motivation

À titre de président de *Engineered Support Systems*, Michael Shanahan privilégie la motivation du personnel. Récemment, lors d'une réunion, ses employés ont commenté une insuffisance budgétaire de 10 000 $ par des «et alors». Mécontent de leur attitude, il a profité d'une pause pour aller à la banque retirer 10 000 $, en billets de 100 $. À son retour, il a posé les billets sur la table; la taille de la liasse de billets a vite contribué à modifier l'attitude des employés.

«Je dois les motiver, maintenir leur intérêt, récompenser leurs efforts. Parfois, il faut être l'entraî-neur, parfois le meneur de claque et parfois le joueur» explique Michael Shanahan. «Mon travail est de maintenir l'esprit d'équipe.»

«Consacrez autant de temps à la gestion de la formation qu'à la gestion des opérations.»

— Carl Hamel et C. D. Prahalad

Donnez beaucoup en retour

À l'occasion, il arrive qu'un employeur souligne l'importance des *petites* choses avec *grandeur*. Bob Thompson était un patron très exigeant. Tous les jours, pendant 40 ans, d'avril à décembre, il faisait travailler dur ses employés de la construction routière, sachant qu'il n'y aurait plus de travail lors des premiers grands froids. Sa compagnie a prospéré pour devenir l'entreprise d'asphaltage et de pavage la plus importante du Michigan. À sa retraite, il a vendu son entreprise et distribué 128 millions de dollars à 550 employés et retraités de son entreprise. Il a même remis des chèques à des conjoints survivants. Grâce à sa générosité, 90 personnes sont devenues millionnaires, du jour au lendemain.

«Vous constatez que ces gens ont peiné et souffert avec vous», explique Bob Thompson. «Je voulais leur donner quelque chose en retour.» Vos employés ont-ils l'impression d'être propriétaires d'une partie de votre entreprise? Pour les inciter à rester et à contribuer à la croissance de votre chiffre d'affaires, veillez à les récompenser suffisamment. Les bons employés ne resteront pas longtemps à votre emploi sans marques d'appréciation.

«Personne n'aura fait plus grande erreur
que celui qui n'a rien fait
parce qu'il ne pouvait faire
que peu de chose.»

— Edmund Burke

Traits de personnalité

Le gestionnaire efficace est doté d'une combinaison unique de traits de personnalité qui en font un être à la fois sensible aux besoins des gens et axé sur les objectifs de l'entreprise.

Ces qualités ont subi l'épreuve du temps:

Les forces du bon gestionnaire

1. **L'empathie :** être sensible aux besoins des autres.

2. **Le sens de l'initiative :** essayer de nouvelles façons de faire, sans avoir besoin de directives ou de consignes.

3. **L'adaptabilité :** savoir se réorienter pour atteindre ses objectifs.

4. **La ténacité :** persévérer malgré les difficultés, sans recourir aux excuses.

5. **L'objectivité :** se fixer des objectifs définis. Préférer les faits aux opinions.

6. **Les normes de rendement :** hausser continuellement les exigences de réussite.

7. **Le respect :** mériter le respect grâce à son intégrité, à son honnêteté et à la solidité de ses valeurs morales.

Les secrets des équipes gagnantes

Voici les meilleures façons, pour un employeur, de former une équipe solide:

1) développer les forces individuelles;
2) faire preuve de flexibilité;
3) se concentrer sur les priorités; et
4) récompenser le rendement des employés et non leur zèle apparent.

Concentrez-vous sur les forces

Le gestionnaire ne forme pas toujours un employé dans un but précis. Les équipes se forment en fonction des forces de chacun. L'inventeur Martin Cooper, considéré comme le «père du téléphone cellulaire», a toujours incité les gestionnaires à faire preuve de souplesse, en ce qui a trait à leur description d'emploi et à leurs fonctions.

En accord avec le gourou de la gestion, Peter Drucker, il était convaincu qu'il ne fallait pas se concentrer uniquement sur la recherche de solutions, mais sur la recherche de possibilités nouvelles. «Si vous ne faites que réparer les choses qui ne fonctionnent pas», dit-il, «à la fin, vous n'aurez plus que ces choses, remises en état.

«Cherchez toujours la cause du problème avant d'en chercher le responsable.»

Favorisez la flexibilité

Joe Gibbs, l'un des meilleurs entraîneurs de l'histoire de la Ligue nationale de football, aux États-Unis, croyait à l'esprit d'équipe et à l'effort. Ses directives demeuraient simples et il traitait ses joueurs en professionnels, les laissant se fier à leur intuition. Selon lui, les directives complexes ne pouvaient qu'engendrer la confusion et la défaite. De plus, en cas de défaite, il ne blâmait jamais un joueur en particulier ou une partie de l'équipe. Il ranimait l'esprit d'équipe, tout en insistant sur l'ardeur au travail.

Enfant, Joe Gibbs n'avait rien du grand athlète, mais il passait des heures à chercher à s'améliorer. «C'est mon absence de talent qui m'a rendu si compétitif», a-t-il écrit. «Je n'apprenais pas facilement. Il me fallait travailler dur pour exceller et j'étais prêt à le faire.» Perfectionniste, il consacrait chaque semaine 100 heures à préparer ses stratégies.

Ses talents de chef ont porté fruit et ont permis aux *Redskins* de Washington de remporter trois fois le Super Bowl.

«Ne laissez pas s'échapper l'enthousiasme – saisissez-le, retenez-le, portez-le à son maximum.»

Jamais trop tard pour apprendre

Le travail d'équipe compte beaucoup aux yeux de Jorma Ollila, directeur général de l'entreprise finlandaise *Nokia*. Grâce à lui, la compagnie de téléphonie cellulaire est devenue première productrice mondiale de téléphones cellulaires, avant *Motorola*. En deux ans, il a doublé le chiffre d'affaires de l'entreprise, le faisant passer de 10 milliards à 20,6 milliards de dollars. Il a exigé que ses quatre directeurs divisionnaires s'échangent leurs fonctions, pour «éliminer l'obstination qui s'installe dans les esprits». Il croit aussi que l'échange de fonctions contribue au partage des compétences.

Mettez l'accent sur les priorités

À peu près rien ne représente autant de gaspillage, de frustration, d'inutilité, de perte de temps, d'ennui et d'improductivité que les réunions. Pourtant, on en convoque trop.

Joe Weller, président-directeur général de *Nestlé USA*, a demandé qu'on s'abstienne de convoquer des réunions après 10 heures, le vendredi. Selon lui, cela donne aux gens le temps de penser à ce qui a été fait et d'établir leurs priorités pour la semaine à venir.

«Il y a beaucoup trop de réunions», explique Joe Weller. «Elles nous font perdre du temps, minent notre énergie et nous ralentissent.» Il ne saurait dire plus vrai!

Les secrets d'un bon climat de travail

1. **Expliquez vos décisions.** Les nouvelles consignes suscitent souvent de la résistance. Accompagnées d'explications, elles seront mieux acceptées.

2. **Soulignez les aspects positifs.** Fixer des objectifs, sans en expliquer les avantages vous empêchera peut-être d'obtenir les résultats escomptés. Montrez aux employés leur avantage à atteindre les objectifs visés.

3. **Soyez ouvert aux suggestions.** Écoutez vos employés. Une bonne idée peut venir de n'importe où. Les employés aiment toujours prendre part aux décisions, surtout quand ils se sentent directement concernés.

4. **Respectez les employés** qui ne sont pas d'accord avec vous.

5. **Faites des compliments.** Si un employé travaille bien, faites-le savoir.

6. **Accordez des promotions au personnel existant.** L'embauche à l'extérieur apporte de

nouvelles idées, mais peut laisser entendre que le personnel en place n'est pas assez qualifié. Donnez des promotions aux employés les plus productifs.

Récompensez les réussites exceptionnelles

Le musicien Paul McCartney comprenait l'importance de former un groupe solide. Le talent de John Lennon l'a impressionné dès leur première rencontre, mais son groupe, appelé *The Quarrymen*, lui a paru faible. Il a convaincu John Lennon de la nécessité de recruter la crème des musiciens pour réaliser leur rêve. John Lennon était d'accord. Paul McCartney s'est mis à diriger le groupe. Il a enseigné à John Lennon de nouveaux accords et a commencé à improviser au piano. En 1962, après la signature du premier contrat d'enregistrement des *Beatles*, Paul McCartney a tenu à ce que le groupe, au lieu de se reposer, poursuive ses répétitions assidues.

«Sans Paul McCartney, les *Beatles* n'auraient pas existé», a écrit le critique londonien de musique pop Jeremy Stephens. «Paul McCartney était aux antipodes de John Lennon.» Paul McCartney a compris l'importance du travail d'équipe. Il savait que sa réussite dépendait des réalisations de l'ensemble du groupe. Aujourd'hui, on évalue sa fortune à plus de 600 millions de dollars et c'est l'une des personnalités les plus riches et les plus connues dans le monde de la musique.

LES SECRETS DES ÉQUIPES GAGNANTES
Les six mots les plus importants:
Je reconnais que j'ai tort.
Les cinq mots les plus importants:
Tu as très bien travaillé.
Les quatre mots les plus importants:
Quelle est ton opinion?
Quatre autres mots très importants:
S'il te plaît...?
Les deux mots les plus importants:
Merci beaucoup.
Le mot le plus important:
Nous
Le mot le moins important:
Je

L'importance des mots appropriés

Les petites choses que vous dites – ou ne dites pas – peuvent avoir beaucoup d'effet sur le moral et la productivité des employés. Parmi les «petits» mots et les «petites» phrases qui suivent, combien reviennent régulièrement dans vos communications orales et écrites?

- **Nous** – L'une des manières les plus rapides de créer l'esprit d'équipe est d'employer, dans la mesure du possible, le mot «nous» au lieu du mot «je».

- **S'il vous plaît** – Il peut sembler sans importance de le dire fréquemment, mais, dans le cas contraire, les employés se sentent vite dévalorisés.

- **Merci** – Les récompenses et les témoignages de reconnaissance à l'endroit des employés exceptionnels sont de première importance, mais il ne faut pas négliger de remercier les employés de leur travail quotidien.

- **Bon travail** – Quand un employé a bien travaillé, complimentez-le, en précisant la raison de votre satisfaction. Vous constaterez son empressement à reproduire le même comportement!

- **Continuez** – Parfois, les projets échouent par perte d'enthousiasme, à mi-parcours. Des encouragements soutenus apporteront à votre équipe la stimulation nécessaire à la réalisation du projet.

- **Que puis-je faire?** – Votre ouverture face aux initiatives de vos employés favorise leur autonomie. Ainsi, vous leur laissez la responsabilité du problème, tout en vous montrant disponible, s'ils ont besoin d'aide.

- **Qu'en pensez-vous?** – Le fait de consulter vos employés montre que vous reconnaissez leur expertise et valorisez leurs points de vue. Cela pourrait aussi vous fournir de précieux renseignements, de la part de ceux que votre décision risque d'affecter le plus.

- **Quelle est votre impression?** – Vous ne cherchez sûrement pas à prendre des décisions uniquement dictées par les émotions, mais la
dimension intuitive des affaires permet d'éviter
un grand nombre de problèmes éventuels.

- **J'étais dans l'erreur** – Nous éprouvons tous de
la difficulté à admettre nos erreurs, surtout si
l'employé avait raison et que nous avions tort.
Toutefois, la crédibilité de n'importe quel dirigeant en dépend.

Ces «petits» mots et ces «petites phrases», malgré
leur brièveté, ont beaucoup de pouvoir. Si on les pro-
nonce souvent et avec sincérité, ils peuvent grandement améliorer le moral des employés et accroître la
productivité – un bénéfice appréciable, au regard d'un
«petit» investissement.

Les possibilités à exploiter avec la clientèle

La clientèle respecte les entreprises innovatrices qui offrent un service fiable et sans faille.

Connaissez votre clientèle

Richard Schulze, fondateur et chef de la direction de l'entreprise *Best Buy*, la principale chaîne de magasins à grande surface des États-Unis, dans le domaine des appareils électroniques et ménagers, a su innover. Il a ouvert son premier magasin d'appareils audio, *The Sound of Music*, à Roseville, dans le Minnesota. Lorsqu'une tornade a arraché le toit du magasin, Richard Schulze a organisé une immense liquidation, sous la tente, pour vendre les marchandises demeurées intactes. La réaction du public a été phénoménale.

Richard Schulze a constaté que s'il pouvait régulièrement offrir à sa clientèle une marchandise de qualité, à prix réduits, son entreprise serait florissante. Il a également constaté que sa clientèle cible, composée de jeunes de 18 à 21 ans, diminuait. Il s'est donc concentré sur la clientèle des plus de 25 ans. Il croyait qu'ils s'intéresseraient aux appareils électro-ménagers et aux produits informatiques et électroni-ques. Richard Schulze a pris le risque d'hypothéquer sa maison pour financer sa nouvelle entreprise. Le chiffre d'affaires a monté en flèche et *Best Buy* compte maintenant plus de 360 magasins, dans 40 États des États-Unis.

«Tous les problèmes s'amenuisent si, au lieu de les esquiver, vous les attaquez de front. Effleurez un chardon et il vous piquera; saisissez-le résolument et ses épines tomberont en miettes.»

— L'amiral William F. Halsey, officier de la marine américaine

---

Des détails en affaires

Ray Kroc s'y connaissait en fiabilité du service. Il vendait un mélangeur à cinq tiges, quand il a entendu parler d'un restaurant, à San Bernardino, en Californie, où on utilisait huit mélangeurs simultané-ment. Sur place, il a vu que les clients des frères Dick et Mac McDonald, les propriétaires, faisaient la queue pour manger des galettes de bœuf d'excellente qua-lité, à prix modique, servies sous forme de sandwich, pour les gens pressés. Il a convaincu les frères McDonald de franchiser leur commerce. En 1961, Ray Kroc a acheté l'entreprise pour la somme de 2,7 millions de dollars. Deux ans plus tard, les restaurants *McDonald's* avaient vendu plus d'un milliard de hamburgers et ouvert 500 établissements.

McDonald's a encaissé 6,2 milliards de dollars, au cours des deux premiers mois de 2001. L'entreprise sert quotidiennement environ 45 millions de personnes, dans 29 000 restaurants, établis dans 120 pays.

«Le client a toujours raison.»

— Joe Baum, restaurateur

La créativité comme solution aux problèmes

«Construisez-le et ils y viendront». Andrew Higgins l'a vérifié. Monsieur Higgins a toujours été ardent au travail, créatif et souple. À 9 ans, il tondait des pelouses à la faucille. Il n'a pas tardé à acheter une tondeuse, puis 17 autres. Il a embauché des garçons plus âgés du quartier.

À 12 ans, il a construit un bateau à glace dans son sous-sol, pour constater qu'il ne pouvait le sortir de la maison. Pendant que sa mère était allée faire des courses, il a démoli le mur du sous-sol, il a sorti le bateau, puis il a replacé les briques avant le retour de sa mère. À 20 ans, il a lancé une entreprise d'exploitation forestière qui a prospéré avant d'être détruite par un ouragan. À 30 ans, il est reparti à zéro et il a acheté un terrain marécageux, peu cultivable. Il a construit une embarcation avec une hélice encastrée servant à couper les arbres. L'embarcation fonctionnait bien et elle a attiré les acheteurs. La demande était si forte que Andrew Higgins s'est lancé dans la construction de bateaux, juste avant la Deuxième Guerre mondiale.

L'hommage suprême est venu de Dwight D. Eisenhower: «Andrew Higgins nous a permis de gagner la guerre. S'il n'avait pas dessiné, conçu et fabriqué ses engins de débarquement, nous n'aurions jamais pu accoster sur une plage découverte. Toute la stratégie de la guerre eut été différente.» Andrew Higgins a été le plus grand producteur d'engins de débarquement utilisés par les Forces alliées, pendant la Deuxième Guerre mondiale, parce qu'il a toujours su répondre aux besoins de ses clients.

«Les occasions favorables
se déguisent souvent
en dur labeur et la plupart des gens
ne les voient pas.»

— Ann Landers

Le vrai leader

1) est doté d'une grande tolérance à la frustration et sait persévérer;

2) encourage la participation;

3) prend l'initiative de changements;

4) est nettement compétitif;

5) n'a pas l'esprit vengeur;

6) reste humble dans la victoire;

7) est bon perdant;

8) délègue son pouvoir à d'autres personnes aux talents complémentaires;

9) est objectif et honnête envers lui-même;

10) sait voir grand, tout en déterminant des objectifs réalistes.

Les surprises culturelles

Malheureusement, une erreur anodine peut avoir beaucoup d'impact, selon le contexte culturel. Les dirigeants de *Coca-Cola* ont compris l'importance des détails, après avoir commis une bévue, lors de leurs premières ventes de *Coca-Cola* en Chine. Les bouteilles affichaient alors les caractères chinois correspondant à la prononciation de «Coca-Cola.» Les dirigeants ont appris, à leur grande surprise, que ces caractères signifiaient «Mords la cire têtard.» PAGR.

Même le meilleur service
n'est pas toujours satisfaisant

Une employée des postes, affectée au tri, a remarqué une lettre rejetée par sa trieuse, adressée simplement à «Dieu, a/s Le ciel.» En termes émouvants, une dame âgée, n'ayant jamais rien demandé, y disait avoir désespérément besoin de 400 $. L'employée a transmis la lettre à ses collègues, touchés, tout comme elle. En se cotisant, ils ont réuni la somme de 200 $ et l'ont envoyée, anonymement, à l'adresse de retour indiquée sur l'enveloppe.

Une semaine plus tard, la dame a de nouveau écrit à Dieu. «J'apprécie votre aide, de tout cœur», disait-elle, «mais quelqu'un a volé la moitié de l'argent. Je suppose que ce sont ces salopards du bureau de poste.»

En bref...

Pour mettre à profit les enseignements de ce chapitre, inscrivez cinq éléments problématiques dans votre travail, leurs conséquences et une idée de solution.

	Problème	Conséquences	Idée de solution
	Exemple: Mon patron me tient à l'écart.	Je n'ai pas eu d'augmentation de salaire depuis deux ans.	Conclure le contrat avec X avant le (indiquer une date).
1			
2			
3			
4			
5			

Résultats:

Vous serez étonné des résultats de votre nouvelle attitude, dans la recherche de solutions. Les patrons vous verront d'un autre œil. Ils commenceront à vous consulter, à vous demander conseil, à compter sur vous. Mais, par-dessus tout, c'est vous qui changerez. Votre attitude sera positive. Vous aurez davantage confiance en vous et l'ampleur de vos réalisations correspondra à votre nouvelle aptitude à trouver des solutions.

« Éviter l'échec
n'équivaut pas à réussir. »

CHAPITRE 5

Les petites choses mènent au succès dans une carrière

On ne bâtit pas une carrière à pas de géant. On la bâtit petit à petit. Voici les clés de la réussite: poser des questions, savoir écouter, avoir le sens de l'observation, savoir innover, s'adapter au changement, avoir une attitude positive, profiter des occasions favorables, planifier, persévérer, et, pour rien au monde, ne renoncer à ses rêves.

Si vous avez de bonnes intentions, mais ne les matérialisez jamais, elles ne valent rien.

Posez des questions et sachez écouter

Les meilleurs leaders savent quoi changer et quand le faire, grâce à leurs questions et à l'écoute. Raymond Gilmartin, président de *Merck & Co.*, a accru le rendement par action de l'entreprise de 1,35 $ à 2,45 $, en quatre ans. À son arrivée comme président-directeur général, en 1994, il a rencontré ses 40 cadres supérieurs et leur a posé deux questions: 1) «Quels sont les principaux problèmes auxquels notre entreprise est confrontée?» et, 2) «Si vous occupiez mon poste, que feriez-vous?» Grâce à ces entretiens, il a pris le pouls de la compagnie et il a évalué ses dirigeants, ce qui l'a aidé à former sa nouvelle équipe de base. Raymond Gilmartin savait qu'il devait compter sur ses meilleurs employés pour prospérer et réussir.

«Les ébauches d'aujourd'hui sont les réalisations de demain.»

Tenez compte des détails

On n'observe jamais trop les gens et les choses qui nous entourent. Les participants à la course d'attelage de chiens *Iditarod Trail Sled-Dog Race*[1] sont à l'affût du moindre changement de comportement de leurs chiens. Voici ce qu'en dit Martin Buser, après trois victoires: «J'anticipe leur fatigue, bien avant qu'elle ne se manifeste. Un chien peut avoir la queue un peu plus haute ou une oreille inclinée différemment.» Martin élimine tout poids supplémentaire,

---

1. N. de la T.: En course d'attelages de chiens, c'est l'épreuve la plus longue et la plus exténuante. Cette course de 1 880 kilomètres a lieu chaque année entre Anchorage et Nome, aux États-Unis.

même minime. Susan Butcher, qui a remporté cinq courses, a allégé sa charge de quelques grammes, en écourtant les poils de sa brosse à dents. PAGR.

Le sens de l'observation

En séjour dans un ranch de vacances, le citadin Maurice Kanbar attendait, adossé à un mur de béton. Un ami, qui voulait lui présenter quelques femmes, l'a appelé. En s'éloignant du mur, il a remarqué que les peluches du tricot rouge qu'il portait adhéraient au béton.

Une idée a germé. Après avoir examiné la paroi de béton, Maurice Kanbar, de retour chez lui, s'est mis au travail. Il a fixé du tissu, de la colle et des cristaux d'oxyde d'aluminium sur un morceau de bois et a donné à son invention le nom de: *«D-Fuzz-It Sweater and Fabric Combs»* ou «Peigne anti-peluche pour lainages et tissus». Il lui fallait 1 200 $ pour fabriquer le moule initial, mais ni sa banque ni sa mère n'ont voulu les lui prêter. Il a économisé, proposé des échantillons aux grands magasins et en peu de temps, la vente de son invention lui a rapporté 200 000 $. Dès l'âge de 30 ans, il n'a plus travaillé pour d'autres. Grâce à son sens de l'observation et à sa créativité, Maurice Kanbar a obtenu plus de 30 brevets d'invention.

«Exploitez vos forces et minimisez l'incidence de vos faiblesses.»

La forme des ampoules électriques vous a-t-elle déjà intrigué? Voici ce qu'il en est: Thomas Edison travaillait à la forme de son ampoule, lorsqu'il a accidentellement laissé tomber un tournevis sur le verre brûlant. L'ampoule a pris une forme intéressante. Edison en a fait l'essai et il a constaté que l'ampoule était beaucoup plus brillante qu'elle ne l'était avant «l'accident».

Sachez innover

La plupart des gens qui réussissent trouvent des solutions innovatrices à leurs problèmes. Peter Shankman, fondateur et chef de la direction de la firme de relations publiques *Geek Factory*, avait du mal à se trouver un emploi. En 1990, il a fait l'homme-sandwich au coin de la 51e rue et de Park Avenue, à New York, exposant son curriculum vitæ sur une affiche de 1 mètre 20 sur 1 mètre. Il a distribué 850 exemplaires de son curriculum vitæ. Il a reçu 150 appels et 27 convocations à des entrevues d'emploi. On lui a fait six offres. Il a accepté celle de conseiller en sites Web et relationniste de l'équipe de hockey les *Devils* du New Jersey.

Mais il ne s'est pas arrêté là. Pendant son séjour à New York, il avait vu d'innombrables annonces à propos du Titanic. Il a produit 500 t-shirts sur lesquels il a fait imprimer: «Il a sombré – Cessez d'en faire un plat». Il a vendu tous ses t-shirts en 12 heures et il a attiré l'attention des médias de tout le pays. Pendant l'année qui a suivi, il a vendu plus de 8000 t-shirts, puis il a pris la décision de fonder sa propre firme de relations publiques.

«L'aptitude primordiale est l'aptitude à se responsabiliser.»

Les réponses à nos problèmes sont parfois tout simplement là, devant nous. Il faut carrément voir les choses autrement. Le gérant d'une épicerie avait demandé au doyen de l'université Drexel, où Joe Woodland était professeur, de l'aider à automatiser l'enregistrement des produits à la caisse. Joe Woodland était à la plage, en vacances, lorsqu'il a pensé que le code Morse pourrait constituer une piste. En traçant, avec les doigts, de longs traits dans le sable, il a eu une idée. Ce simple geste a contribué à l'élaboration du Code universel de produits (CUP), maintenant utilisé dans le monde entier.

«La personnalité ne se forme pas à partir des événements, mais à partir de ce que les événements nous incitent à faire.»

La résistance au changement

Pour ce qui est de l'essentiel, nous savons que la vie est faite d'anticipation et que la mort est immuable. L'aptitude à anticiper l'avenir est la source d'énergie la moins bien comprise. Ceux qui planifient innovent. Ceux qui résistent au changement végètent. Selon moi, planifier signifie imaginer l'avenir de votre entreprise. Sans planification, votre avenir vous échappe.

«On ne construit pas sa personnalité dans la quiétude, mais à force d'essais, d'erreurs et de résistance.»

Joseph Wilson a bien planifié l'avenir de la société *Xerox*. La plupart des autres fabricants tiraient 85 % de leurs bénéfices de la vente de fournitures de bureau et 15 %, de la vente d'équipement, mais *Xerox*, qui utilisait du papier ordinaire, devait tirer ses revenus de la vente de ses appareils. Or, ses photocopieurs coûtaient cher. Joseph Wilson a eu l'idée de louer les appareils et de facturer ses clients au nombre de copies. Le prix unitaire des copies diminuait avec le volume. À son arrivée sur le marché, en 1960, le photocopieur automatique était vendu avec un extincteur, car il arrivait que le papier s'enflamme. Les craintes des clients ont incité Joseph Wilson à annoncer le copieur *Xerox* comme étant «si facile à utiliser, qu'un singe en était capable».

La responsabilisation précède l'amélioration. Partout et toujours, les gestionnaires ont cherché la réponse à la question suivante: «Qu'entendons-nous par performance?» La recherche de performance suppose l'embauche de gens responsables, parce que les gens responsables savent déterminer *qui* fera *quoi*, et *quand?*

Il ne faut jamais se fier exclusivement à son instinct, sans demander conseil. Les gens prospères gardent toujours à l'esprit que personne n'est isolé comme «une île». Ils apprécient ceux qui travaillent pour eux dans l'ombre.

«Soyez réaliste, le temps ne joue pas en votre faveur.»

Le changement surviendra plus vite que prévu. Quels que soient vos projets, agissez. Selon le proverbe: «Tout vient à point à qui sait attendre» – mais à force d'attendre, on trouve ce que les gens d'action ont laissé derrière eux.

L'attitude positive est communicative

Le garçon d'ascenseur Bruce Renfrœ a su se distinguer. Pour remonter le moral des usagers, il a décoré son ascenseur d'une affiche aux couleurs vives. Il y a ajouté une plante, des photos des usagers et il a fait jouer des enregistrements de jazz. L'attitude des usagers a changé du tout au tout: ils se sont mis à sourire et à se parler.

Un jour, Bruce Renfrœ a retrouvé son ascenseur dégarni. On lui a interdit de le décorer. Les usagers ont protesté auprès du président de la *MTA* (Metropolitan Transportation Authority). Avec Bruce, ils effectuaient la partie la plus agréable de leur trajet. On a rapidement remis en place les décorations et l'aménagement de Bruce.

«Je me demandais si un simple garçon d'ascenseur pouvait espérer changer des choses», relate-t-il. Il y est arrivé.

«La victoire appartient à qui tire les ficelles. Morale de l'histoire: Tirez les ficelles.»

Les difficultés d'apprentissage de l'entrepreneur Dave Longaberger ne l'ont pas empêché de hausser le chiffre d'affaires de son entreprise à un milliard de dollars, ni de terminer ses études secondaires à 21 ans. Il croyait au travail acharné et à la qualité de son produit. Son attitude positive était communicative. Ses employés de la première heure, qu'il ne pouvait payer, sont restés à son service, car ils croyaient en lui et en son produit. Tami Longaberger, présidente-directrice générale de l'entreprise, résume les enseignements de son père: «Si vous avez de bons rapports avec les gens quand tout va bien, ils resteront à vos côtés, dans les moments difficiles.»

«J'ai la ferme conviction
que les occasions favorables
viennent frapper à la porte;
mais il faut se lever et la leur ouvrir.»

— Dave Longaberger

Profitez des occasions favorables

Au début de la colonie, John Chapman dit «Appleseed» a vu une occasion d'affaires. Il a recueilli les pépins de pommes dans les rejets de pulpe des cidreries et il les a semés pour produire de jeunes plants de pommiers. À l'époque, tout propriétaire était tenu par la loi de planter 50 pommiers par terrain, et Johnny savait que les colons n'aimeraient pas voyager avec de jeunes arbres ou attendre leur croissance.

Johnny précédait donc les colons dans les régions sauvages et il y plantait des pommiers. Il s'informait auprès des populations locales pour connaître les destinations des colons. Plusieurs petites communautés se sont développées autour de ses vergers. Il a poursuivi son travail dans toute la colonie. Pendant 49 ans, il a sillonné la Pennsylvanie, l'Illinois, l'Indiana, l'Ohio et le Kentucky, y plantant des pommiers, sur une superficie d'environ 260 000 kilomètres carrés. Cent cinquante ans plus tard, certaines de ses pépinières produisent encore des fruits. PAGR.

«Voici le meilleur conseil d'orientation de carrière:
Découvrez ce qui vous plaît par-dessus tout et trouvez quelqu'un qui vous paiera pour le faire.»

— Katherine Whitehorn

De chauffeur-livreur qu'il était en 1947, Donald Kendall, de la compagnie *PepsiCo*, a gravi les échelons jusqu'au poste de chef de la direction, en 1963. Grâce à lui, le chiffre d'affaires annuel est passé de 510 millions de dollars, en 1966, à 7,5 milliards de dollars, en 1986. En 1959, Donald Kendall s'est trouvé devant une occasion en or, comme exposant américain à la Foire commerciale de Moscou. Il a demandé au vice-président Nixon de s'arrêter à son stand, lors de sa visite en compagnie du chef d'État soviétique, Nikita Khrouchtchev. Kendall a proposé à Khrouchtchev une dégustation comparative de *Pepsi-Cola*: un échantillon importé des États-Unis et l'autre, produit avec l'eau de Moscou. Khrouchtchev a préféré la boisson préparée avec l'eau de Moscou et il a soulevé son verre devant un photographe. La photo a fait le tour du monde.

«Une occasion favorable peut se présenter à tout moment. On doit toujours être prêts», explique Donald Kendall.

**«Si, au lever, devant la glace,
vous n'êtes pas enthousiaste
de ce que vous ferez au cours de la journée,
vous devriez faire autre chose.»**

— Donald Kendall,
président-directeur général de PepsiCo

Sachez vous adapter pour survivre

En 2000, le caporal britannique Alan Chambers a consacré beaucoup de temps à la planification, pour arriver à parcourir à pied, en 67 jours, la distance du nord du Canada au pôle Nord.

«Je me suis préparé au pire, en espérant le meilleur», relate-t-il. Ses recherches lui avaient appris les succès et les échecs des expéditions précédentes. Il avait divisé l'expédition en étapes, se fixant des objectifs, de manière à développer la confiance de ses coéquipiers. En cours d'expédition, il modifiait son itinéraire selon les circonstances et demeurait flexible.

La persévérance

Parmi vos connaissances, combien de personnes ont connu un succès immédiat? Le seul qui me vienne à l'esprit a prétendu avoir gagné 50 $ avec son premier billet de loterie. Toutefois, comme il m'a aussi parlé d'un investissement infaillible ayant tourné au fiasco, je mets en doute sa crédibilité.

Je sais d'expérience que l'échec fait partie de la vie. C'est même une nécessité. Avant de faire vos premiers pas, vous avez marché à quatre pattes et avez fait plusieurs chutes. D'instinct, vous saviez qu'en persévérant, vous alliez réussir. Avant d'apprendre à flotter ou à nager, vous avez avalé beaucoup d'eau. Avant d'obtenir un diplôme, vous avez passé de nombreux examens.

Les succès et les échecs ont la même racine: la persévérance

Abraham Lincoln a perdu toutes les élections auxquelles il s'est présenté, sauf l'élection à la présidence des États-Unis. Michael Jordan a été rejeté de son équipe de basket-ball, à l'école secondaire. Bill Gates a abandonné ses études universitaires. Mark McGuire a été éliminé au bâton 155 fois en 155 matchs, l'année où il a frappé 70 coups de circuit. Sam Walton a presque déclaré faillite, avant de remettre *Wal-Mart* à flots. Le 10 juillet 1903, Henry Ford n'avait plus que 223,65 $ lorsqu'il a vendu sa première automobile et sauvé son entreprise.

«Presque tous ceux qui réussissent ont en commun le fait d'avoir recommencé souvent.»

Autrement dit, si aujourd'hui le succès n'est pas au rendez-vous, abordez la journée de demain sans lui. L'inquiétude du risque d'échec peut freiner le passage à l'action. Sans passer à l'action, vous ne réussirez jamais. Le passage à l'action est à la base de tout! Sans passage à l'action, vous ne connaîtrez que l'échec.

«Le chemin du succès croise immanquablement celui de l'échec.»

L'éducation: plus que des classes, des professeurs et des examens

Les gens qui réussissent ne renoncent jamais à résoudre leurs problèmes. À défaut d'y arriver, ils se font aider, ou alors, ils créent leurs propres solutions. Souvent, ils doivent étudier pour atteindre leurs objectifs. Ils prennent leur vie en main et y créent eux-mêmes des conditions favorables.

Un handicap – Quel handicap?

En 1811, Louis Braille, âgé de trois ans, s'est accidentellement crevé l'œil gauche en jouant avec une alène, un outil avec lequel son père travaillait le cuir. On ne connaissait pas encore l'existence des antibiotiques et la blessure à l'œil s'est infectée. Hélas, l'infection s'est propagée à l'œil droit, entraînant la cécité totale.

Ses parents lui ont appris à travailler dur et à surmonter la plupart de ses difficultés. Pour accomplir ses corvées, il se servait d'une canne pour compter le nombre de pas à faire jusqu'à la grange, et il repérait le foin par l'odeur. Ses parents voulaient éviter qu'il ne soit privé d'autonomie et d'instruction, comme de nombreux handicapés visuels de l'époque.

Louis Braille était un garçon brillant et un prêtre de la région a accepté de lui donner des leçons, trois jours par semaine. À l'âge de 10 ans, on l'a envoyé à l'*Institut Royal des jeunes aveugles*, à Paris. L'école possédait quelques livres imprimés en relief, mais il s'agissait de livres coûteux, rares et difficiles à lire. L'école a commencé à enseigner une nouvelle technique utilisée durant la guerre pour envoyer des messages aux champs de bataille. La technique, inventée par Charles Barbier, consistait en points et en tirets surélevés. S'inspirant de cette idée, Louis Braille l'a simplifiée et il a mis au point l'alphabet Braille. Charles Barbier s'est vexé qu'un garçon de 13 ans ait amélioré sa méthode.

Mais Louis Braille était enchanté de pouvoir écrire en perforant le papier à l'aide d'un poinçon. Il n'a jamais laissé la cécité devenir un obstacle à l'apprentissage. PAGR.

«Personne n'a jamais acquis la sagesse par chance.»

— Sénèque

Apprenez par vous-même

En 1751, Benjamin Banneker, mathématicien et astronome autodidacte, s'intéressait à tout et voulait tout comprendre. Ce fils d'anciens esclaves était obligé de travailler à la ferme familiale. Par bonheur, sa grand-mère était instruite et elle lui a enseigné à lire et à écrire.

À 20 ans, Benjamin Banneker a emprunté la montre de poche d'un commerçant, l'a démontée, puis remontée, après en avoir dessiné les pièces. En guise de défi personnel, il a ensuite construit la première horloge entièrement faite de pièces de bois aux États-Unis – et elle donnait l'heure juste. Il a été reconnu pour son habileté à créer et à résoudre des problèmes mathématiques. La lecture passionnée de livres d'astronomie l'a amené à déceler des erreurs dans les calculs d'autres astronomes. Il a aussi créé des almanachs d'astronomie. À une époque où l'on ne croyait pas que les Afro-Américains devaient être instruits, Benjamin Banneker avait compris l'importance du savoir. En se faisant autodidacte, il est devenu l'un des premiers scientifiques afro-américains réputés.

La confiance en soi

Robert Frost, un homme ouvert au monde, grand amateur de poésie, étudiait la poésie classique grecque et latine. Lorsqu'il a eu 20 ans, son grand-père lui a promis d'assurer sa subsistance pendant un an, s'il arrivait à percer comme poète. Sinon, il devrait chercher un autre emploi. Étonnamment, Robert Frost a refusé l'offre de son grand-père, certain de mettre 20 ans à être publié et incapable de renoncer à son rêve. Dix-neuf ans plus tard, son premier recueil de poésie, *A Boy's Will*, a enfin été publié. Il est devenu l'un des poètes américains les plus connus et appréciés.

« Même les victoires remportées de justesse comptent. J'ai gagné deux médailles d'or par 0,02 seconde. »

— Bonnie Blair,
cinq fois championne olympique

Sachez recommencer

À huit ans, Gertrude Ederle a failli se noyer dans un étang. Au lieu de céder à la peur, elle a voulu apprendre à nager. Ayant atteint cet objectif, elle s'est mise à rêver de traverser la Manche à la nage. La plupart des gens croyaient qu'une femme n'arriverait jamais à parcourir une si longue distance à la nage.

À sa première tentative, elle a failli réussir, mais son entraîneur a jugé qu'elle devait s'arrêter, à 11 kilomètres du rivage.

Gertrude Ederle ne s'est pas découragée. Elle a embauché un nouvel entraîneur, Thomas Burgess, l'un des cinq hommes ayant réussi à traverser la Manche à la nage. Elle le savait capable de lui donner la formation et l'entraînement nécessaires à la réalisation de son rêve.

Sa deuxième tentative s'annonçait plus difficile car elle devait faire appel à la générosité de commanditaires à demi convaincus et oublier son premier échec. Toutefois, rien ne l'arrêterait. Elle avait opté pour le style libre au lieu de la brasse, plus répandue.

Le premier jour de sa traversée, la température de l'eau était de 16 degrés Celsius et la mer était si houleuse que, par moments, la nageuse était repoussée vers l'arrière. Gertrude Ederle a décidé d'aller jusqu'au bout, quitte à se noyer. Quatorze heures plus tard, elle a atteint le rivage et elle a étonné le monde entier en fracassant le record établi par les hommes.

> **«La compétence ne vaut rien sans l'action.
> Les intentions n'ont aucune valeur, sans résultats.»**

On gagne à s'entraîner

À 12 ans, Muhammad Ali sonnait aux portes de ses voisins pour leur annoncer qu'il allait remporter son prochain combat de boxe. Amusés, les voisins assistaient au match pour voir si cela arriverait.

Autour du ring, il posait souvent des questions aux entraîneurs et aux autres boxeurs. Il passait des heures à simuler des combats devant un miroir, ou à courir derrière l'autobus qui devait l'emmener à l'école, à 28 pâtés de maisons de chez lui. Il allait même aux hippodromes, pour se mesurer aux chevaux de course, jusqu'à ce qu'on le lui interdise. Même s'il détestait chaque minute d'entraînement, il se disait que ses souffrances seraient récompensées par une vie de champion. Il a eu raison. Médaillé olympique, il s'est illustré à la boxe professionnelle, en remportant trois fois le championnat du monde des poids lourds.

«Ne jamais confondre une simple défaite avec la défaite ultime.»

— F. Scott Fitzgerald, écrivain

Un pas à la fois

Dan Jansen ne supportait plus de courir sur des pentes raides. Son entraîneur, Peter Mueller, l'a poussé à s'attaquer à une dernière pente. Cette fois, il lui a conseillé d'imaginer son objectif au sommet de la pente, et de courir en se concentrant uniquement sur les trois mètres devant lui. Il a amené Dan Jansen à se fixer des objectifs élevés et à les atteindre un pas (ou trois mètres) à la fois. En très peu de temps, Dan Jansen avait réussi à atteindre le sommet de la pente et le sommet de sa discipline, comme champion olympique.

«Le chemin du succès tient du marathon, non de la course de vitesse.»

Oscar Robertson, sélectionné parmi les 100 meilleurs joueurs de tous les temps de la *NBA* (*National Basket-ball Association*), a toujours travaillé dur, s'imposant de jouer une partie de basket-ball tous les jours, dans sa jeunesse. Il se fixait des objectifs et évaluait ses progrès. Il est convaincu que l'on apprend de ses erreurs et que l'adversité et la défaite rapprochent de ses objectifs.

Le cycliste Lance Armstrong ne s'est pas avoué vaincu lorsqu'on lui a annoncé qu'il avait le cancer des testicules. Il avait déjà connu des épreuves. Sa mère avait 17 ans à sa naissance et, deux ans plus tard, son père et sa mère se sont séparés. Sa mère lui a toujours dit de «transformer chaque obstacle en occasion de réussite.» Lance a mis en pratique le conseil de sa mère en remportant le Tour de France trois fois, devenant le plus grand cycliste du monde.

Un peu plus d'effort

Tiger Woods et ses parents connaissaient l'importance de l'entraînement. Quand le jeune adolescent jouait au golf, son père remuait ses clés ou faisait du bruit, pour tenter de le distraire. Les enseignements de son père ont porté fruit.

En 1997, Tiger Woods a remporté le *Tournoi des Maîtres* avec la meilleure fiche de tous les temps. En dépit de sa victoire, Tiger Woods a repris son entraînement parce qu'il voulait améliorer son jeu.

«Selon moi, le meilleur moyen de se qualifier pour son futur emploi est de travailler plus fort que tous les autres à son emploi actuel.»

— Charles M. Schwab, président de US Steel

Charles M. Schwab a commencé au bas de l'échelle et, à force de persévérance, s'est rendu au sommet. À 39 ans, Charles M. Schwab était passé du poste d'aide géomètre à celui de président de la société *US Steel*, première entreprise dont le chiffre d'affaires ait atteint le milliard de dollars. En 1901, il a acheté *Bethlehem Steel Corp.*, et en a fait, en 10 ans, le deuxième producteur d'acier du monde.

«Voici le secret qui m'a permis d'atteindre mon but. Je tiens ma force uniquement de ma ténacité.»

— Louis Pasteur, chimiste, microbiologiste

Les sœurs Venus et Serena Williams, gagnantes du *U.S. Open* et médaillées d'or aux Jeux olympiques, ont commencé très jeunes leur entraînement au tennis. Serena, trois ans, et Venus, quatre ans et demi, jouaient tous les jours avec leur père, Richard Williams. Il leur a appris les bénéfices du travail soutenu et de la planification à long terme. Tous les jours, il passait six heures à leur servir des centaines de balles. Selon Venus, leur motivation venait du désir d'être les meilleures. Elles s'encourageaient l'une l'autre, persuadées qu'une attitude positive indéfectible les mènerait à la victoire. Elles avaient raison. Serena, la cadette, a remporté le *U.S. Open* en 1999 et Venus, l'aînée, en 2000 et en 2001.

Les experts sont attentifs aux détails

Le receveur Jerry Rice ne laisse rien au hasard. Il étudie des stratégies, analyse d'anciennes parties et s'entraîne toute l'année. Quand il s'exerce au sprint, pour accroître la résistance de l'air, il s'attache au dos un petit parachute. Ses efforts soutenus ont porté fruit: à la célébration du 75e anniversaire de la *NFL* (la Ligue nationale de football des États-Unis), en 1994, il est devenu membre de la meilleure équipe de tous les temps.

***

«La plupart des gens s'arrêtent au signal de départ.»

***

Berry Gordy fils, fondateur de *Motown Record*, a travaillé à la chaîne de montage de la société *Ford*. En fondant sa maison de disques, il a mis à profit les connaissances acquises pour produire des disques de grande qualité. Selon lui, il fallait bien définir les tâches: les chanteurs devaient chanter, les auteurs-compositeurs écrire des chansons, et les producteurs, produire.

Motown ayant son orchestre maison, il pouvait contrôler son produit et n'était pas soumis aux exigences de l'extérieur. Il tenait à offrir des disques de première qualité. Berry Gordy a mené ses chanteurs à la célébrité en leur faisant aussi apprendre l'art de la scène, la chorégraphie et l'étiquette. En 1972, Berry Gordy était l'Afro-Américain le plus riche des États-Unis, avec un revenu annuel de plus de 10 millions de dollars.

«Ne pas tenir compte des faits ne les fait pas disparaître.»

Connaissez le terrain

Bill George, président de la société *Medtronic, Inc.*, une entreprise de stimulateurs cardiaques et de défibrillateurs, a permis à l'entreprise de maintenir un rendement de plus de 10 % au cours des 10 dernières années. Lorsqu'on l'a nommé à la présidence, il a remarqué que plusieurs représentants et techniciens passaient presque tout leur temps au bureau. Selon lui, ils auraient dû être sur le terrain, dans les cabinets de médecins ou les laboratoires.

Aujourd'hui, 7 fois sur 10, lorsqu'on implante un appareil médical de l'entreprise *Medtronic*, un technicien spécialisé assiste à l'opération. L'année dernière, on a implanté 2,5 millions d'appareils. Les spécialistes de *Medtronic* se sont donc trouvés en salle d'opération 1,75 million de fois.

Chaque année, à l'invitation de Bill George, 6 patients viennent parler de leur expérience aux employés de *Medtronic*. Ces témoignages directs permettent aux employés de voir à quel point leur travail et les appareils qu'ils fabriquent sont importants et contribuent à sauver des vies.

Grâce au talent de Bill George à développer l'expertise de ses employés, le chiffre de ventes de la société *Medtronic* est passé de 741 millions de dollars à 5 milliards de dollars, en 10 ans seulement.

«L'impatience vient du mécontentement. Le mécontentement est le nerf du progrès.»

– Thomas Edison

Les auteurs de talent attachent un soin particulier aux détails, de manière à décrire un personnage ou une scène avec justesse. Charles Dickens faisait de longues promenades dans les rues de Londres, uniquement pour écouter parler les gens. Il notait avec précision les particularités de leurs dialectes et de leurs formulations, afin de s'en servir dans ses écrits. De plus, il connaissait la force d'une bonne histoire. Il a écrit *Un chant de Noël* pour nous rappeler le véritable sens de Noël: le don et la compassion. Il a réussi. Jamais aucune œuvre n'y est mieux parvenue.

Problèmes de toujours, solutions nouvelles

Mark Twain s'inspirait souvent de sa propre vie et de celle de son entourage dans ses œuvres. Ce fin observateur était ouvert au changement. Pendant ses conférences, cela l'ennuyait que l'auditoire utilise les feuillets du programme comme éventails. Solution? Il a mis fin à la distraction en imprimant les programmes sur du papier rigide. Un problème irritant – une solution simple.

> *«À défaut de trouver une voie,*
> *il faut savoir l'inventer.»*

En 1891, on a donné deux semaines à James Naismith, professeur d'éducation physique, pour inventer un sport sécuritaire que ses élèves pourraient pratiquer à l'intérieur, durant les mois d'hiver. Les sports qu'il connaissait lui ont servi de point de départ. Il a eu l'idée d'utiliser un ballon de soccer et un panier, placé à 3 mètres du sol. De ses 18 élèves, il a formé 2 équipes de 9 joueurs. Toutefois, il en a réduit le nombre à 5, car son terrain était trop petit. Il a donné à son nouveau jeu le nom de... basket-ball.

James Naismith avait aussi les oreilles en chou-fleur. Il a essayé de les faire tenir avec une bande adhésive, mais en vain. Il a eu une idée toute simple. Après avoir coupé un ballon de football dans le sens de la longueur, il s'en est posé une moitié sur la tête. C'était le premier casque-protecteur de football.

> **«Le temps passé à regarder**
> **une porte se fermer**
> **peut empêcher de voir**
> **la porte qui est ouverte.»**
>
> – Alexander Graham Bell

On peut commettre moins d'erreurs et accroître son avantage concurrentiel en se concentrant sur cinq «principes fondamentaux». Apparemment faciles à comprendre, ces principes sont beaucoup plus difficiles à mettre en pratique.

Cinq principes fondamentaux

- **Éviter l'échec n'est pas atteindre le succès**. Des projets louables, jamais réalisés, demeurent sans valeur.

- **Exploitez vos forces et minimisez l'incidence de vos points faibles**. Il ne faut jamais se fier exclusivement à ses instincts, sans demander conseil. Ceux qui réussissent gardent à l'esprit qu'ils ne sont pas isolés. Ils apprécient les gens qui travaillent avec eux dans l'ombre.

- **L'aptitude primordiale est l'aptitude à se responsabiliser**. La responsabilisation précède l'amélioration. Partout et toujours, les gestionnaires ont cherché la réponse à la question suivante: «Qu'entendons-nous par performance?» La recherche de performance suppose l'embauche de gens responsables, parce que les gens responsables savent déterminer *qui* fera *quoi*, et *quand*?

- **Acceptez avec réalisme que le temps ne joue pas en votre faveur**. Le changement surviendra plus vite que vous ne le croyez. Quels que soient vos projets – agissez. «Tout vient à point à qui sait attendre» dit le proverbe – mais à force d'attendre, on trouve ce que les gens d'action ont laissé derrière eux.

- **Changez, avant d'y être contraint**. Pour ce qui est de l'essentiel, nous savons que la vie est faite d'anticipation et que la mort est immuable. L'aptitude à anticiper l'avenir est la source d'énergie la moins bien comprise. Ceux qui planifient innovent. Ceux qui résistent au changement végètent. Selon moi, planifier signifie concevoir son avenir. Sans planification, votre avenir vous échappe.

Petites erreurs, grandes tragédies

Voyageriez-vous à bord d'un avion gros porteur si, tous les jours, l'un d'eux s'écrasait, entraînant dans la mort 120 000 personnes par année? Bien sûr que non. Malheureusement, il y a chaque année, le même nombre de morts à cause d'erreurs médicales. Pourquoi autant de morts? Parce qu'il arrive que de petites erreurs provoquent de grandes tragédies. À cause d'emballages ou de noms de médicaments semblables, ou d'une ordonnance manuscrite illisible, les gens peuvent se tromper. L'erreur est humaine et il survient des tragédies. Il faut être attentif aux détails et, parfois, se préoccuper des petites choses.

Acceptez de changer

Au livre *Guinness* des records, Joe Decker est l'homme le plus en forme du monde. Il a parcouru 220 kilomètres à la course, dans la Vallée de la Mort, en Californie, et une distance de 840 kilomètres dans l'Himalaya, à pied, à vélo tout-terrain, en kayak et en cordée. Tout a commencé quand il s'est enrôlé dans l'armée et a raté l'épreuve de course. Il n'a pu parcourir une distance de trois kilomètres en 17 minutes. On l'a inscrit au programme «Fat Boy», un programme pour obèses. Il devait, après sa journée, faire des pompes, des redressements assis et de la course.

«La pilule était amère», dit-il. «C'est ce qui m'a lancé.» Il ne peut plus s'arrêter. En 1991, il a quitté l'armée et a participé à des marathons de 42 kilomètres, puis de 80 kilomètres. Il ne s'avoue jamais vaincu.

Faites-vous confiance

Un jeune artiste talentueux n'essuyait que des refus de la part de maisons d'édition. Il a décidé de camper face au bureau du directeur artistique de la maison d'édition *American Book Company*. Pendant trois semaines, personne ne s'est occupé de lui. On lui a finalement confié la tâche d'illustrer un livre d'histoire des États-Unis. À 22 ans, Norman Rockwell a vendu sa première œuvre au *Saturday Evening Post*, un contrat prestigieux pour un illustrateur. Par la suite, il a vendu plus de 230 couvertures pour le magazine et il a créé quelque 800 campagnes publicitaires pour des entreprises telles *Ford, GE* et *Hallmark*. Il est rare qu'un artiste soit «découvert» dès sa première initiative.

> ## *«Le succès ne va pas de soi; il se mérite.»*

Même un rejet peut tourner à son avantage. Refusé à Harvard, Warren Buffet s'est inscrit à l'université Columbia où il a fait la connaissance de Benjamin Graham. Monsieur Graham est devenu sont professeur et mentor, l'incitant à acheter la compagnie *Geico*, devenue une des principales entreprises de sa société de portefeuille *Berkshire-Hathaway*, évaluée à 28 milliards de dollars.

> ## *«Écrire son objectif tend à le faire passer de la simple intention à l'engagement.»*

Accrochez-vous à vos rêves

Il n'est jamais trop tard pour réaliser ses rêves. Jim Morris, premier choix au repêchage des *Brewers* de Milwaukee, rêvait depuis l'enfance de jouer au base-ball dans les ligues majeures. Mais après une blessure au bras, puis une autre à l'épaule, sa carrière était terminée. Il était âgé de 25 ans.

Jim Morris est retourné aux études, est devenu professeur de sciences à l'école secondaire et entraîneur de l'équipe de base-ball des *Owls* de Reagan County. L'équipe n'avait remporté que trois matchs en trois ans. La tâche de l'entraîneur était toute désignée. Pour motiver les joueurs, Jim Morris les a incités à s'accrocher à leur rêve et à gagner les éliminatoires. Impressionnés par les talents de lanceur de Jim, les joueurs l'ont poussé à mettre en pratique ses propres enseignements et à tenter de nouveau sa chance comme joueur professionnel. Il s'y est engagé, s'ils remportaient les éliminatoires. Contre toute attente, c'est ce qui est arrivé.

«Le succès repose sur toutes les expériences passées.»

À 35 ans, Jim Morris était gêné de lancer au camp d'essai des *Devil Rays* de Tampa Bay, mais il a tenu sa promesse. Il craignait de se couvrir de ridicule et a expliqué sa situation au recruteur.

Jim Morris a fait de son mieux et il a lancé la balle à 160 km à l'heure, une vitesse supérieure aux 140 km à l'heure de ses lancers dans les ligues mineures. Impressionné, le recruteur a envoyé Jim au *Double A club*, à Orlando, puis au *Triple A club*, à

Durham. Le 18 septembre 1999, Jim Morris s'est joint à l'équipe de Tampa Bay. Il est devenu la recrue la plus âgée des ligues majeures, en près de trois décennies. Rêvez-en. Faites-le. PAGR.

Jamais trop tard

Un vieux fermier labourait le même champ depuis quarante ans. Il prenait soin d'éviter une roche sur laquelle il avait déjà brisé plusieurs socs de charrue.
Un jour, le fermier excédé s'est emparé de son pied-de-biche et a fait voler la roche en éclats. Il aurait pu facilement la déplacer: elle n'avait que 15 centimètres d'épaisseur. Pourquoi n'avait-il pas réglé son problème plus tôt?

Y a-t-il des situations dans votre vie que vous aimeriez changer? Nous pouvons continuer d'éviter les «roches» dans nos vies ou nous y attaquer de front. Ces «roches» sont parfois plus faciles à déplacer qu'il n'y paraît. Consacrez de l'énergie et du temps à la solution de vos problèmes et vous vous sentirez revigoré. L'inquiétude peut nous angoisser davantage que l'action.

En bref...

Nous vivons tous des revers. Les gens qui réussissent tiennent bon et cherchent de nouvelles façons d'atteindre leurs buts. Ils se font confiance. Leurs objectifs leur tiennent à cœur. Au travail, votre avantage concurrentiel est-il aussi fort qu'il pourrait l'être?

Posez-vous les questions suivantes:

- Au sein de mon entreprise, existe-t-il des tâches qui n'ont plus leur raison d'être? En suis-je conscient? Puis-je le prouver?

- Dans mon groupe de travail, quelles tâches ne sont pas rentables ou compatibles avec les priorités de notre organisation?

En tant qu'être humain, posez-vous la question suivante:

- Lesquels de mes agissements risquent de freiner ma croissance, de limiter mes horizons, d'atténuer mon sens de la compétition?

Par-dessus tout, gardez ceci constamment à l'esprit: *Votre compétitivité, c'est vous!* Si vous voulez être compétitif, n'attendez pas un jour de plus – passez à l'action!

À propos de l'auteur

Roger Fritz est considéré aux États-Unis comme l'un des plus grands experts en matière de gestion basée sur les performances et dans le domaine de l'adaptation individuelle au changement. Tant les entreprises *Fortune 500* que les entreprises familiales ont bénéficié de ses conseils. Roger Fritz compte plus de 300 clients et donne, tous les mois, des conférences, des ateliers et des colloques sur des thèmes privilégiés. Ses chroniques dans des revues mensuelles et ses articles hebdomadaires dans des journaux d'affaires atteignent des millions de lecteurs. Parmi les 38 livres, traduits en 17 langues, qu'il a publiés, on compte plusieurs best-sellers, succès du mois et livres primés.

Cet homme a la ferme conviction que *vivre, c'est prévoir* et il expose, en de nombreux exemples captivants, comment ce principe puissant transforme des vies et engendre la réussite. Ses exposés constituent un assemblage exceptionnel d'humour, d'inspiration, de conseils pratiques et de notions portant sur l'impact de la responsabilisation personnelle.

Il est président-fondateur (1972) de *Organization Development Consultants*, 1240 Iroquois Drive, Suite 406, Naperville, IL, 60563. Numéro de téléphone: (630) 420-7673. Télécopieur: (630) 420-7835. Courriel: *RFritz3800@aol.com*. Site Web: *http://www.roger fritz.com*.

CHEZ LE MÊME ÉDITEUR:

Liste des livres:

52 cartes d'affirmations, *Catherine Ponder*
52 façons de développer son estime personnelle et sa confiance en soi, *Catherine E. Rollins*
52 façons simples de dire «Je t'aime» à votre enfant, *Jan Lynette Dargatz*
1001 maximes de motivation, *Sang H. Kim*
Accomplissez des miracles, *Napoleon Hill*
Agenda du Succès *(formats courant et de poche), éditions Un monde différent*
Aidez les gens à devenir meilleurs, *Alan Loy McGinnis*
À la recherche d'un équilibre: une stratégie antistress, *Lise Langevin Hogue*
Amazon.com, *Robert Spector*
Ange de l'espoir (L'), *Og Mandino*
Anticipation créatrice (L'), *Anne C. Guillemette*
À propos de..., *Manuel Hurtubise*
Apprivoiser ses peurs, *Agathe Bernier*
Arrêtez d'avoir peur et croyez au succès!, *Jean-Guy Leboeuf*
Arrêtez la terre de tourner, je veux descendre!, *Murray Banks*
Ascension de l'âme, mon expérience de l'éveil spirituel (L'), *Marc Fisher*
Ascension de l'empire Marriott (L'), *J.W. Marriott et Kathi Ann Brown*
Athlète de la Vie, *Thierry Schneider*
Attitude d'un gagnant, *Denis Waitley*
Attitude gagnante: la clef de votre réussite personnelle (Une), *John C. Maxwell*
Attitudes pour être heureux, *Robert H. Schuller*
Au cas où vous croiriez être normal, *Murray Banks*
Bien vivre sa retraite, *Jean-Luc Falardeau et Denise Badeau*
Bonheur et autres mystères, suivi de La Naissance du Millionnaire (Le), *Marc Fisher*
Capitalisme avec compassion (Le), *Rich DeVos*
Ces forces en soi, *Barbara Berger*
Chaman au bureau (Un), *Richard Whiteley*
Changez de cap, c'est l'heure du commerce électronique, *Janusz Szajna*

Enthousiasme fait la différence (L'), *Norman Vincent Peale*
Entre deux vies, *Joel L.Whitton et Joe Fisher*
Envol du fabuleux voyage (L'), *Louis A. Tartaglia*
Esprit qui anime les gagnants (L'), *Art Garner*
Eurêka! *Colin Turner*
Éveillez en vous le désir d'être libre, *Guy Finley*
Éveillez votre pouvoir intérieur, *Rex Johnson et David Swindley*
Évoluer vers le bonheur intérieur permanent, *Nicole Pépin*
Faites la paix avec vous-même, *Ruth Fishel*
Faites une différence, *Earl Woods et Shari Lesser Wenk*
Favorisez le leadership de vos enfants, *Robin S. Sharma*
Fonceur (Le), *Peter B. Kyne*
Gestion du temps (La), *Danielle DeGarie*
Guide de survie par l'estime de soi, *Aline Lévesque*
Hectares de diamants (Des), *Russell H. Conwell*
Homme est le reflet de ses pensées (L'), *James Allen*
Homme le plus riche de Babylone (L'), *George S. Clason*
Il faut le croire pour le voir, *Wayne W. Dyer*
Illusion de l'ego (L'), *Chuck Okerstrom*
Je vous défie! *William H. Danforth*
Journal d'un homme à succès, *Jim Paluch*
Joy, tout est possible! *Thierry Schneider*
Jus de noni (Le), *Neil Solomon*
Leader, avez-vous ce qu'il faut?, *John C. Maxwell*
Légende des manuscrits en or (La), *Glenn Bland*
Lever l'ancre pour mieux nourrir son corps, son cœur et son âme,
    Marie-Lou et Claude
Livre des secrets (Le), *Robert J. Petro et Therese A. Finch*
Lois dynamiques de la prospérité (Les), *Catherine Ponder*
Magie de penser succès (La), *David J. Schwartz*
Magie de s'autodiriger (La), *David J. Schwartz*
Magie de voir grand (La), *David J. Schwartz*
Maître (Le), *Og Mandino*
Marketing de réseaux, un mode de vie (Le), *Janusz Szajna*
Meilleure façon de vivre (Une), *Og Mandino*
Même les aigles ont besoin d'une poussée, *David McNally*
Mémorandum de Dieu (Le), *Og Mandino*
Mes valeurs, mon temps, ma vie! *Hyrum W. Smith*
Moine qui vendit sa Ferrari (Le), *Robin S. Sharma*
Moments d'inspiration, *Patrick Leroux*
Momentum, votre essor vers la réussite, *Roger Fritz*
Napoleon Hill et l'attitude mentale positive, *Michael J. Ritt*
Né pour gagner, *Lewis Timberlake et Marietta Reed*

Vie est magnifique (La), *Charlie «T.» Jones*
Vie est un rêve (La), *Marc Fisher*
Visez la victoire, *Lanny Bassham*
Vivre Grand: développez votre confiance jusqu'à l'audace, *Thierry Schneider*
Vivre sa vie autrement, *Eva Arcadie*
Votre force intérieure = T.N.T, *Claude M. Bristol et Harold Sherman*
Votre liberté financière grâce au marketing par réseaux, *André Blanchard*
Vous êtes unique, ne devenez pas une copie!, *John L. Mason*
Vous inc., découvrez le P.-D. G. en vous, *Burke Hedges*
Voyage au cœur de soi, *Marie-Lou et Claude*

Liste des cassettes audio:

Après la pluie, le beau temps!, *Robert H. Schuller*
Arrêtez d'avoir peur et croyez au succès!, *Jean-Guy Leboeuf*
Assurez-vous de gagner, *Denis Waitley*
Atteindre votre plein potentiel, *Norman Vincent Peale*
Attitude d'un gagnant, *Denis Waitley*
Comment attirer l'argent, *Joseph Murphy*
Comment contrôler votre temps et votre vie, *Alan Lakein*
Comment se fixer des buts et les atteindre, *Jack E. Addington*
Communiquer: Un art qui s'apprend, *Lise Langevin Hogue*
Créez l'abondance, *Deepak Chopra*
De l'échec au succès, *Frank Bettger*
Dites oui à votre potentiel, *Skip Ross*
Dix commandements pour une vie meilleure, *Og Mandino*
Fortune à votre portée (La), *Russell H. Conwell*
Homme est le reflet de ses pensées (L'), *James Allen*
Intelligence émotionnelle (L'), *Daniel Goleman*
Je vous défie! *William H. Danforth*
Lâchez prise! *Guy Finley*
Lois dynamiques de la prospérité (Les), (2 parties) *Catherine Ponder*
Magie de croire (La), *Claude M. Bristol*
Magie de penser succès (La), *David J. Schwartz*
Magie de voir grand (La), *David J. Schwartz*
Maigrir par autosuggestion, *Brigitte Thériault*
Mémorandum de Dieu (Le), *Og Mandino*
Menez la parade! *John Haggai*
Pensez en gagnant! *Walter Doyle Staples*
Performance maximum, *Zig Ziglar*
Plus grand vendeur du monde (Le), (2 parties) *Og Mandino*
Pouvoir de l'optimisme (Le), *Alan Loy McGinnis*
Psychocybernétique (La), *Maxwell Maltz*

Puissance de votre subconscient (La), (2 parties) *Joseph Murphy*
Réfléchissez et devenez riche, *Napoleon Hill*
Rendez-vous au sommet, *Zig Ziglar*
Réussir grâce à la confiance en soi, *Beverly Nadler*
Secret de la vie plus facile (Le), *Brigitte Thériault*
Secrets pour conclure la vente (Les), *Zig Ziglar*
Se guérir soi-même, *Brigitte Thériault*
Sept Lois spirituelles du succès (Les), *Deepak Chopra*
Votre plus grand pouvoir, *J. Martin Kohe*

Liste des disques compacts:

Créez l'abondance, *Deepak Chopra*
Dix commandements pour une vie meilleure, (disque compact double) *Og Mandino*
Lâchez prise!, (disque compact double) *Guy Finley*
Mémorandum de Dieu (Le), (deux versions: Roland Chenail et Pierre Chagnon), *Og Mandino*
Quatre accords toltèques (Les) (disque compact double), *Don Miguel Ruiz*
Sept lois spirituelles du succès (Les) (disque compact double), *Deepak Chopra*

En vente chez votre libraire ou à la maison d'édition
Prix sujets à changement sans préavis

Si vous désirez obtenir le catalogue de nos parutions,
il vous suffit de nous écrire à l'adresse suivante:
Les éditions Un monde différent ltée
3925, Grande-Allée
Saint-Hubert (Québec), Canada J4T 2V8
ou de composer le (450) 656-2660 ou le téléco. (450) 445-9098
Site Internet: http://www.umd.ca
Courriel: info@umd.ca